知念実希人

悲恋のシンドローム
天久鷹央の推理カルテ
完全版

実業之日本社

実業之日本社文庫

目次

悲恋のシンドローム

Aftershock of the Painful Love

天久鷹央の推理カルテ

［完全版］

プロローグ

　緩慢な動きでソファーから立ち上がった鷹央《たかお》が、間接照明に淡く照らされた部屋の中、ゆっくりと近づいてきた。

「私は先週の時点で、事件の全容を解明した気になっていた。けれど……それは間違いだったんだ。この事件は私が想像したより遥《はる》かに複雑で、そして解決困難なものだった」

　僕の目の前に立った鷹央は、険しい表情で言う。

「じゃあ、また事件を調べなおすっていうことですか？」

　僕の問いに、鷹央は気怠《けだる》そうに首を左右に振った。

「いや、私はもうこの事件には関わらない。手を引く」

「手を引く⁉」思わず甲高い声をあげてしまう。「鷹央先生、どうしたんですか？らしくないですよ、そんなこと言い出すなんて」

「しかたがないんだよ。……この事件は、私には解決できない」

弱々しくつぶやく鷹央を前にして、目を見張る。

「そんな弱気なことを言わないでくださいよ。先生、いつも言っているじゃないですか。『私に解けない謎《なぞ》なんてない』って。今回もきっと解決できますよ」

必死で励まそうとする僕に向かい、鷹央はふっと哀《かな》しげに微笑《ほほえ》んだ。

「無理なんだよ。もう私はこの事件に関わらない」

声は小さかったが、そこには固い決意が感じ取れた。

「そんな……。それじゃあ犯人は野放しのままですか？」

「いや、そんなことはないさ」鷹央は小さく肩をすくめた。

「鷹央先生が手を引いても、警察が犯人を見つけ出せるってことですか？」

「いや、無理だろうな。警察には犯人は見つけ出せない」

「じゃあ、誰がこの事件を解決するって言うんですか？　先生も警察もダメなら……」

鷹央は左手の人差し指を立て、僕の唇に触れた。口の中で言葉が溶けていく。

「小鳥《ことり》……お前だよ」

鷹央は僕を真《ま》っ直《す》ぐに見つめながら言った。わずかにブラウンの入ったその瞳《ひとみ》に吸い込まれていくような錯覚に襲われる。

「お前がこの事件を解決するんだ」

Karte. 01

迷い込んだ呪い

痛い。まるで内臓が有刺鉄線で絞り上げられているかのように。

フローリングの床にひざまずいた大山秋恵《おおやまあきえ》は、激痛がわだかまる脇腹《わきばら》を押さえながら体を丸めた。喉《のど》からうめき声がもれる。部屋は冷え冷えとしているにもかかわらず、額に脂汗《あぶらあせ》が浮かんでくる。

這《は》うようにしてリビングテーブルに近づいた秋恵は、その上に散乱する薬のＰＴＰシートに手を伸ばす。近所のクリニックでもらった鎮痛剤だった。

この数日間、医者に指示された用量よりはるかに多く薬を飲んでいる。しかし、腹の中身を鷲掴《わしづか》みにされているような痛みが治まることはなかった。シートから押し出した錠剤を口の中に放りこみ、ペットボトルのミネラルウォーターで飲み下すと、秋恵は再び両手を脇腹に置いてダンゴムシのように体を丸める。疼痛《とうつう》の波が凪《な》ぐのを待ちながら。

これまで様々な医療機関で診察を受けた。しかし、どの医者もこの苦痛を取り去ってはくれなかった。きっと、これは医者なんかに治せるようなものではないのだ。

これは、……『呪《のろ》い』。私が背負った『業《ごう》』。

苦痛でゆがんだ顔をあげ、数十枚の写真が貼《は》ってある壁に掛けられたコルクボードを見る。ボードの右隅に貼られた古びた学生時代の集合写真。そこに写る、いまより十歳ほど若い自分のとなりに、華奢《きゃしゃ》な青年が立っていた。青年のはにかんだ顔を見ると同時に、さらに痛みが増した。

「……あなたなの？　あなたが……やっているの？」

秋恵は虚《うつ》ろな目で写真を眺めながら、そこに写る青年に問いかける。一瞬、青年の笑みが邪悪に歪《ゆが》んだ気がした。

胸の奥で不快感が湧《わ》きあがる。反射的に口を押さえた秋恵は、激しく咳《せ》き込みはじめた。嘔吐《おうと》でもするかのように体を折りながら、次から次へと秋恵は咳を吐き出し続ける。

苦しい、息ができない。咳と咳の間をぬって、必死に酸素を貪《むさぼ》る。

数十秒経《た》って、ようやく咳の発作が治まった秋恵は、肩で息をしながら額の汗を拭《ぬぐ》った。額にぬるりとした不快な感触が走る。

何？　手のひらを見た瞬間、心臓が凍りついた気がした。

力なく開いた両手、そこに赤黒く粘着質な液体がべっとりとこびり付いていた。

血？　なんで血が？　秋恵は呆然《ぼうぜん》としながら、部屋の隅に置かれた姿見に視線を向ける。鏡の中には口元を真っ赤に染めた女が、呆然とした表情でこちらを見ていた。

私が……吐いたの？　この血を？　視界から遠近感が消え失《う》せ、鏡の中の自分が襲いかかってくるような錯覚に襲われる。視界が白く染まっていく。背骨が抜かれてしまったかのように秋恵は崩れ落ちた。冷たいフローリングの床が右頬に触れる。

「お願い……もう赦《ゆる》して。私を自由にして、……恭介《きょうすけ》」

　秋恵は倒れ込んだまま、写真の中から自分を睥睨《へいげい》する男に向かって、ただひたすらに赦しを請《こ》い続けた。

1

「えっとですね。症状としては右脇腹の痛み、胸の違和感、強い咳、そして喀血《かっけつ》ですね。いままで特に大きな病気にかかったことはなくて、常用している薬もなかったと」

　電子カルテのディスプレイを横目で見ながら、僕は患者用の丸椅子《まるいす》に腰かけた女性に向かって話す。

　東久留米《ひがしくるめ》市全域の地域医療の要《かなめ》である天医会《てんいかい》総合病院。その十階にある統括診断部外来診察室で僕、小鳥遊優《たかなしゆう》は外来業務にいそしんでいた。

「はい……、以前は生理痛の薬とかは飲んでいましたけど」

女性は軽くうつむきながら、ぼそぼそとつぶやくように答える。大山秋恵、三十二歳。化粧っ気がなく、陰鬱《いんうつ》な表情を浮かべるその顔は、年齢よりいくらか老《ふ》けて見えた。

三週間ほど前、秋恵は自宅で強い腹痛をおぼえたあと喀血したとのことで、天医会総合病院に救急搬送され、呼吸器内科に入院となった。しかし、検査をしても喀血の原因は分からず、全身状態にも大きな問題はなかったので、数日後には退院となっていた。おそらくは、強い咳をした際に気管支の粘膜が傷つき、そこから出血したのではないかというのが担当医の診断だった。だが、退院後も原因不明の腹痛が続くということで、この統括診断部に紹介されて来ていた。

秋恵はさっきから、ちらちらと僕の背後に視線を送っていた。僕も秋恵につられるようにふり返り、背後霊のように後ろに立つ女性に視線を向ける。

若草色の手術着の上に、サイズの合っていないぶかぶかの白衣を羽織った小柄な体。寝ぐせなのか天然パーマなのか分からない、ウェーブのかかった長い黒髪。ネコを彷《ほう》彿《ふつ》とさせる顔のわりに大きい二重の目。一見すると高校生ぐらいに見える外見だが、その実、彼女は二十七歳のれっきとした成人だ。

天久《あめく》鷹央《たかお》、統括診断部部長、つまりは僕の年下の上司。

この統括診断部の外来は、各科で診断がつかなかった患者が紹介されてくる。一人に四十分もの時間をかけて診察し、部長である鷹央の超人的な知能と膨大な知識を駆使して診断を下すというのが建前だ。しかしそれはあくまで『建前』でしかなかった。実際にこの外来に送りこまれてくる患者の大部分は、『診断が難しい患者』ではなく、『相手にするのが難しい患者』だった。

多くの場合、外来でひたすら愚痴をまくし立て続け、何十分も話を続けようとするような患者を、各科の医師が「十分な時間をかけて話を聞いてくれる外来がありますよ」などと言って、この外来に紹介してくるのだ。

そんなわけで、外来での僕の仕事は主に、患者の愚痴やクレームをひたすら心を無にして聞き流すことだった。しかもその内容は、体の不調や病院への不満だけにとどまらず、老後の不安や、嫁姑《しゅうとめ》問題、果ては借金で首が回らないから少し金を貸してくれないかなどまである始末だ。最近は心を無にする技術も上がり、そろそろ悟りでも開けるんじゃないかと思っていたりする。

ひたすら愚痴をこぼし続けるような患者の場合、鷹央は診察室の奥に置かれた衝立《ついたて》の裏に身を隠し、僕に全《すべ》てを押しつけて読書にいそしむ。そして、本当に診断が難しい患者が来たときだけ、衝立の向こうから出てきて診察をはじめるのだ。しかし、今日のように鷹央が前のめりに患者の話を聞こうとすることがごく稀《まれ》にある。その患者が、鷹央の無限の好奇心をくすぐるような『謎《なぞ》』を持ってきた場合だ。

再び電子カルテの画面を横目で見る。そこには鷹央を激しく惹《ひ》きつけるであろう単語が映し出されていた。僕は気づかれないよう小さくため息をつくと、口を開く。

「あの、呼吸器内科からの紹介状では、なんというか、……呪《のろ》いがなんとかとか」

そう、目の前に座る女性の紹介状には最後にこう記されていたのだ。

『本人は一連の症状が呪いによるものと思い込んでいる様子。御高診お願いいたします』

なにが〝御高診お願いします〟だ。丸投げしやがって。

このようなわけの分からない主張をする患者も、統括診断部外来では珍しくはなかった。そういう患者たちはきまって、少しでも水を向けると、待ってましたとばかりに胸を張り、僕には理解できない理論を延々と並べ立てるのだ。きっとこの女性も……。

しかし、僕の予想に反し、秋恵は痛みに耐えるかのように眉毛《まゆげ》を八の字にすると、自虐《じぎゃく》的な笑みを浮かべた。

「馬鹿《ばか》みたいですよね。呪いなんて非科学的なこと……」

「そんなことないぞ！」

突然、僕を押しのけるようにして前に出ながら、鷹央が声を張った。

「人間の意思の力というものは、凄《すさ》まじいエネルギーを秘めているという研究もある。

もちろん、それはネガティブな意味でもエネルギーを内包しているともいえる。つまり呪いというものは、そのような力が現実に作用したものとも考えられ……」

滔々《とうとう》と自らの『呪い論』を語り出した鷹央を、秋恵は口を半開きにしながら眺める。僕は鷹央の話を聞き流しながら、この演説をいつ止めるべきかタイミングをはかる。無理矢理さえぎるとへそを曲げるが、ほっとくとこのまま何時間も喋《しゃべ》り続けかねない。

あごを軽くそらし気持ちよさそうに語っていた鷹央は、突然目を見開き、ぐいっと顔を秋恵に近づけた。秋恵は軽くのけぞる。

「それで、お前は誰にどんなふうに呪われているんだ？　呪いにも色々あるだろ。メジャーなのだと、ブードゥーの呪いとか藁《わら》人形とかさ」

鷹央は嬉々《きき》として前のめりになる。患者に『お前』はないと思うが、鷹央は敬語をほとんど使わない、と言うより使えない。この言葉遣いのせいで患者が怒り出すこともあるが、幸いなことに秋恵が気にしている様子はなかった。

「……昔の恋人です」秋恵は消え入りそうな声で答えた。

「えっと、それってもしかして昔の恋人につきまとわれていて、そのプレッシャーで体調が悪くなったとか、そういうことですか？」

僕は眉間《みけん》にしわを寄せる。もしそうだとしたら、相談すべきは僕たちではなく警察だ。しかし、秋恵は悲しげに首を左右に振った。

「いえ、違います。彼はもう……死んでいます。八年前に……」

眉間のしわが深くなる。話が本格的にオカルトじみてきた。そして、鷹央はこの手の話が大好物だ。これは面倒なことになりそうだ。

「なんでお前は、自分の体に起きている症状が、その男の呪いだって思うんだ？」

楽しげに鷹央は訊《たず》ねる。

「私にはいま、恋人がいます。会社の同僚で、つきあいはじめて一年半ぐらいになります。……先月、その恋人からプロポーズされました」

秋恵は独り言のようにぼそぼそと話しはじめた。

「……はあ。あの、それがなにか」話が見えてこず、僕は首をかしげる。

「それからなんです。この症状がはじまったのは。こんな腹痛は数年間無かったのに、結婚の話が出てから頻繁に強い痛みに襲われるようになって……」

「たまたま、タイミングが重なっただけなんじゃないですか？」

それだけで『昔の恋人の呪い』とは、あまりにも飛躍しすぎている。

「今回だけじゃないんです！」秋恵は身を乗り出し、叫ぶように言った。

「今回だけじゃない？」

「はい、私はこの七年間で何回かお見合いして、そのうち三回ほどいいお付き合いに進展することができました。けれど結婚の話が出ると、そのたびに今回のようにひどい腹痛に悩まされるんです。あまりにも私の体調が悪いので、お付き合いもうまくいかなくなり、結局お別れすることになって……」

「あの……、それは結婚について悩むストレスで自律神経のバランスを崩して、胃腸の動きがおかしくなったせいかもしれませんよ。『機能性胃腸症』っていう疾患です。胃腸症状が強い患者さんだと、胃腸が痙攣《けいれん》して激しい腹痛が引き起こされるんです」

機能性胃腸症はストレスによって引き起こされることが多い。そして一生を左右するであろう結婚について考えることは、大きな精神的ストレスになりえる。

僕の説明を聞いた秋恵の顔に、はっきりと失望の色が浮かんでいった。

「これまで診察してくださった先生方にも、そう言われました。ストレスのせいで腸の動きがおかしくなったんだろうって。私も最初はそうかもしれないと思っていました。結婚の話が無くなったら、嘘《うそ》みたいに症状が出なくなるからです。けれど、今回は血まで吐いたんですよ。腸の動きがおかしいだけで血を吐いたりしないんじゃないですか？」

「いや……それはですね。ストレスで胃潰瘍《かいよう》ができて、そこから出血したのかも……」

「違うぞ」

辻褄《つじつま》を合わせようとする僕の言葉を、鷹央が一言のもとに切り捨てた。

「さっきカルテを確認した。その女は内視鏡検査をしている。胃の中はきれいなもんだ。血を吐くような潰瘍の痕跡《こんせき》はないな」

それなら胃潰瘍ではなかったのだろう。けれど、呪いなんて……。

「内視鏡だけじゃない。CTやエコーなど色々検査をしているが、異常は見つかっていない。その女が血を吐いた原因は不明だ。『呪い』じゃないとは断言できない」

電子カルテのディスプレイを眺めながら、鷹央は鼻歌でも歌い出しそうな調子で言う。普段は抑揚なく喋ることが多い鷹央がこのような口調になるのは、極めて上機嫌な時だ。どうやら、この『呪いの謎』をいたく気に入ったらしい。

「うちの馬鹿が話をさえぎって悪かったな、続けてくれ」鷹央は秋恵を促す。

「あの……、少し込み入った話になりますけど、良いですか？」

「いいぞ、時間はたっぷりあるからな」

鷹央は早く続きを聞きたいのか、催促するように細かく体を揺らす。秋恵は血色の悪い唇を舌で湿らすと、再び話しはじめた。

「……私は八年前まで、川内《かわうち》恭介さんという男性とお付き合いしていました。大学の同級生です。学生時代から交際をはじめて、付き合いは四年近く続いていました。その時、彼は証券会社でとても忙しく働いていて、同じように会社で新人として働いていた私とは、あまり会えなくなっていました」

学生時代の恋人同士が、就職して多忙のため疎遠《そえん》になる。よくある話だ。

「就職してから一年ほど経ったある日、お互いの予定が合って、一ヶ月ぶりぐらいに彼と会いました。その日、暗い顔をした彼は急に『君と結婚したい。そして、僕が仕事を辞めて、君を支えさせてくれないか』って言い出したんです」

「つまり、仕事を辞めて主夫になりたいということですか？」

僕の問いに、秋恵は弱々しくうなずいた。

「ええ、とりあえず私に養ってもらって。落ち着いたらまた仕事を探したいって……」

「それで、なんて答えたんです？」僕は唇をかたく結んだ秋恵に訊ねる。

「私は……怒りました。『何を考えているわけ？』と彼を責めました。彼との結婚は考えていましたけれど、私の給料だけで二人で生活するのは難しかったし、私は結婚したら早めに子供が欲しかったんです。妊娠、出産しても、しっかり仕事を続けられる自信はありませんでした。彼をすごく無責任に感じました。だから私は言ったんです。『私たち、少し距離を置いたほうがいいかも』って。そしたら……」

膝《ひざ》の上に置かれた秋恵の手が、ぎゅっとスカートを摑んだ。その態度で、話の次の展開は読めてしまう。

「その晩、彼は……首を吊《つ》りました。……あとで分かったんです。彼はあまりにも仕事が忙しすぎて、ひどい抑うつ状態になっていたって。あの時のプロポーズは……彼のSOSだったんです。けれど私はそれに気づかず、突き放してしまった……」

秋恵は両手で顔を覆《おお》うと、小さく肩を震わせはじめた。

「なるほどな。お前がプロポーズを断ったせいで、その男は死んだ。だからお前が他の男と結婚しようとすると、その男がお前の体に異常を生じさせるって言うんだな」

腕を組んだ鷹央が大仰にうなずいた。

「……はい、結婚の話が出て腹痛が起こるたび、心の隅でそんな気がしていました。今回血まで吐いたのに原因が分からないって言われて、どうしていいか分からず、友人に相談して回りました。そうしたら、友人の一人がすごく優秀な専門家がいると紹介してくれて……。その方に見てもらったところ、私が呪われているのはまちがいないと……」

「ちょ、ちょっと待って下さい。専門家？」僕は思わず秋恵の話を遮ってしまう。

「はい、死んだ人の恨みとか呪いとか、そういうものを治すことのできる、なんというか……霊能力者みたいな人です」

頭痛がしてくる。『呪い』の次は『霊能力』の登場だ。

「分かっています。分かっているんです、霊能力者なんて馬鹿らしいって。私も会うまでそう思っていました。けれど、あの人はきっと本物なんです！　だって、初対面で私の部屋に来てくれた時、私しか知らないはずのことをどんどん言い当てて……」

それまでの弱々しい口調が嘘のように、秋恵の言葉には熱がこもっていた。

「あの人は、私の症状を呪いによるものだって保証してくれて、その呪いを祓《はら》ってくれるって言いました。だから私は、それをお願いしようと思っているんです。あの人なら、きっと私を治してくれるから。私を自由にしてくれるから！」

「えっと、ちょっといいですか？」

身を乗り出してくる秋恵に圧倒されながら、僕は口を挟む。

「あなたは自分の体に起きている症状が、なんというか……呪いによるものだと思って、その霊能力者とかいう人に、お祓いみたいなものをしてもらうつもりなんですよね？ 失礼ですけど、でしたらどうして今日、こちらを受診なさったんでしょうか？」

呼吸器内科からの紹介状には、『本人がさらなる精査を希望』と記されていた。

「……お金がかかるんです」秋恵の口調が弱々しいものに戻る。

「お金？」

「はい、その方は呪いを祓うことはできると言ってくれました。けれど、それには三百万円が必要で……」

「三百万!?」

思わず声が跳ね上がってしまう。秋恵は叱《しか》られた子供のようにびくりと体を震わせた。

「あ、大きな声出してすいません。けれど三百万円っていうのは、なんというか、あまりにも……。もう少し慎重になった方が……」

僕は言葉を選びながらも、秋恵に思い直させようとする。目の前の女性は明らかに、詐欺師《さぎし》にだまされかけている。

「違うんです。先生方も一度会えば分かるはずです。あの人は本物だって。ただ私は……確信が欲しかったんです」

「確信、ですか？」

「はい。普通の医療では私の症状を説明できない、治せないっていう確信です。そうすれば、これが呪いによるものだって信じることができて、三百万円を払う決心がつくから……」

言葉を切った秋恵は、僕の目を真っ直《ます》ぐに覗《のぞ》き込んでくる。

「それで、私の症状の原因はなにか、診断がつきそうでしょうか？」

僕は言葉に詰まる。秋恵の言う霊能力者はきっと詐欺師だろう。しかし、秋恵の体に起きている症状がなぜ起こっているのか、いまの時点で説明できないのも確かだ。

情けないことに僕にできることは、振り返って上司に助けを求めることだけだった。

後ろに立つ鷹央は腕を組んだまま、いつの間にか瞼《まぶた》を落としていた。集中して話を聞くときの姿だ。鷹央の瞼がゆっくりと上がっていく。

「いまの話だけでは、はっきりとしたことは言えないな。データが不十分だ」

「……そうですよね」

秋恵は悲しげにつぶやく。そんな秋恵に向かって鷹央はにやりと笑みを浮かべる。

「だから、もっとデータを集める必要がある。もちろんその霊能力者のこともな。それで、次にそいつと会うのはいつだ？」

2

「なんで僕が付き合わされなきゃいけないんですか？」

愛車のマツダＲＸ－８の運転席に座る僕は、ぶつぶつと口の中でグチを転がしながら、横目で助手席に視線を送る。そこには、サイズの合ってないぶかぶかのセーターにジーンズという、なんとも垢抜《あかぬ》けない姿の鷹央が座っていた。

大山秋恵が統括診断部外来を受診した二日後、僕は仕事が終わった後、鷹央をつれて秋恵のマンションへと向かっていた。霊能力者とやらと会うために。

「ぐちゃぐちゃうるさいな。お前なしでどうやって目的地に行けっていうんだよ」

「僕はいつから先生の専属運転手になったんですか。病院に引きこもってないで、普段から少しは外出するようにして下さいよ」

「……最近は時々、病院の周りを散歩してるぞ」拗《す》ねた子供のように鷹央は唇を尖《とが》らす。

鷹央は普段、理事長の娘という立場を目いっぱい利用して病院の屋上に建てたレンガ造りの〝家〟と、病院の十階にある統括診断部の外来を往復するだけで、ほとんど病院の敷地外に出ることはない。そんな引きこもりのような生活をしている鷹央だが、いったん『謎』を目の前にすると、恐ろしいほど活動的になるのだ。

去年の七月、統括診断部に赴任してからというもの、鷹央が『謎』に誘われて外出する際はきまって、僕が都合の良い足としてこき使われていた。

まあいい、秋恵の住んでいるというマンションは病院からそう遠くはない。車で十五分ほどだ。さっさとその自称霊能力者とやらと会って、帰るとしよう。中途半端《はんぱ》な詐欺師など、どうせ数分で鷹央に矛盾を論破され、その正体を暴《あば》かれるだろう。

「本当に霊能力者なんて信じているんですか？」ハンドルを切りながら僕は訊ねる。

「いや、九十九パーセント、偽物《にせもの》の詐欺師だろうな」

「え？　先生もそう思っているんですか？」

知りうる限り、『一般常識』ともっとも仲の悪い人物の口からこぼれた常識的な言葉に、僕は軽く驚く。鷹央はネコを彷彿させる大きな目を細めて睨《にら》んできた。

「私はたしかに超常現象が好きだけど、なにもそれが存在すると盲信しているわけじゃない。ただ科学的、論理的に否定できるまで、そういうものが存在しないとは言い切れないし、そういうものがあったら嬉《うれ》しいなと思っているだけだ」

「偽物だと思っているなら、なんでわざわざ会おうとしているんですか？」

「なに言ってるんだ、一パーセント本物の可能性が残っているだろ。本物ならすごいぞ！　霊能力者だぞ！　それに偽物なら偽物で、そいつをとっちめるのも楽しいだろ」

鷹央はにやりと唇の片端をあげる。

「はいはい、けれど本当の目的はその霊能力者じゃなくて、秋恵さんの症状に診断をつけることだって忘れないでくださいよ」

「忘れてないよ。けれど霊能力者が偽物なら、まずはそれを明らかにする必要があるだろ。そうしないと、大山秋恵は三百万円をだまし取られたうえ、医学的な治療を拒否し出す可能性まである」

「……たしかにそうですね」

根拠のない民間療法を信じ込んでしまった患者が一般的な医療を拒否し、結果的に取り返しのつかない状態にまで病状が悪化するということは、決して珍しいことではない。

前方に十階建てのマンションが見えてくる。おそらくあそこが目的地のはずだ。僕はマンションの手前にあるコインパーキングにRX－8を滑り込ませた。

停車すると、シートベルトを外した鷹央が快活に言った。

「よし、それじゃあ霊能力者とやらにお目にかかるとするか」


車から降りた僕と鷹央は、マンションの七階にある秋恵の部屋の前にたどり着くと、インターホンを押した。すぐに玄関扉が開く。

「お待ちしていました。わざわざありがとうございます。どうぞお上がりください」

秋恵が出てきて頭を下げる。その顔は、二日前に外来で見たときよりも明らかに血色が悪かった。

「あの、大丈夫ですか？　なんだかすごく体調悪そうですけど……」

秋恵について玄関に入った僕は、その背中に話しかける。

「大丈夫……じゃないですね。昨日からまた腹痛がはじまったんです。さっき鎮痛薬を飲んで、いまは少し落ち着いていますけど……」

短い廊下を進み、リビングへ僕たちを案内した秋恵は振り返り、明らかに無理しているとわかる笑みを浮かべる。

「それで、霊能力者はどこだ？」

鷹央はリビングを見回しながら、隠しきれない期待をにじませた声で言った。

「さっき連絡がありまして、お仕事が忙しくて二、三十分遅れるということです。すみません」秋恵は申しわけなさそうに言う。

二日前、鷹央が「霊能力者と会いたい」と言い出した時、秋恵は嫌がるどころか、むしろ積極的に鷹央の提案を受け入れ、今日のこの場をセッティングした。口では霊能力者を信じていると言っている彼女も、その胸の奥では疑念が燻《くすぶ》っているのだろう。

「そうか、それじゃあ待たせてもらおうか」

普段は病的なほどに時間にうるさく、秒単位の遅刻でもとたんに不機嫌になる鷹央だが、今日に限っては上機嫌なままだ。よっぽど霊能力者とやらに会うのが楽しみらしい。その人物が(そんなわけないとは思うが)本物であれば好奇心を満たせるし、偽物であれば化けの皮を剝《は》ぐために、自らの人間離れした知能を刃《やいば》にして、思う存分ふるえるということだろう。

鷹央はとことことソファーに近づき、秋恵に許可を取ることもせず勢いよく座り込むと、室内を見回しはじめた。十畳ほどのスペースに二人掛けの赤いソファー、化粧台、テレビ、背の低いリビングテーブルなどが置かれている。

僕は首をすくめ、「すみません」と上司の非常識な行動を謝罪する。

「お気になさらないで下さい。お茶でも淹《い》れますので、先生もどうぞお座り下さい」

秋恵はゆっくりとキッチンへ消えていった。僕は鷹央の隣に腰かける。

「そんなに他人の部屋が気になりますか？」

部屋の中をきょろきょろと見回し続ける鷹央に、僕は声をひそめて訊ねる。

「なに言ってるんだ。私は情報を集めているんだ」

「情報？　だけど、べつに普通の部屋じゃないですか。特に情報なんて……」

「お前、目玉の代わりにビー玉でも詰まっているのか？　ここは情報の宝庫じゃないか」

鷹央は唐突に両手を広げる。右手の甲が油断していた僕の顔面を勢いよく叩《たた》いた。

鷹央はおざなりに「ああ、悪い」とつぶやくと、楽しげに語りはじめる。

「まず、この部屋自体だ。二十三区外とはいえ東京で最寄り駅から五分ほど、しかもデザイナーズマンションで広めの１ＬＤＫ。家賃は月十万は下らない。一人でここに住めるということは、経済的に余裕があるはずだ」

「……そうかもしれませんね」

たしかにこの部屋は、僕が住んでいる部屋よりかなり広いし、造りにも高級感がある。

「家具もシンプルだがそれなりに高級だ、そして……」

鷹央は部屋の隅にある本棚を指差す。

「あそこの本棚にある本を見てみろ」

そこには分厚い専門書らしき本が大量に差し込まれていた。僕は目を凝らしてその背表紙を読む。その大部分が建築に関するものだった。

「あれをみれば、頭の軽いお前でも、あの女の職業が推測できるだろ」

「頭が軽くて悪かったですね。建築士かなにかですね」

「ああ、そうだ。あれだけ専門書があるところを見ると、一級建築士の資格をもっている可能性が高い。こんなふうにちょっと観察力があれば、住人の情報はたくさん入ってくる。とくにあんなものを飾っていればな」

鷹央はあごをしゃくって、壁に取り付けられているコルクボードを指す。ボードには数十枚の写真が飾られていた。

「いまから会う霊能力者は、あの女のことを次々に言い当てることで、自分に超常的な力があるって信じ込ませたんだったな……」不敵な笑みが鷹央の顔に浮かぶ。

「その霊能力者が、写真とか家の中にあるものから情報を得て、秋恵さんについて色々なことを言い当てたってことですか？」

「その可能性もあるってことだ」

「お待たせしました」

鷹央が語り終えるのを待っていたかのようなタイミングで、マグカップを三つのせた盆を手にした秋恵がキッチンから出てきた。

「お前、仕事は建築士だろ？」

マグカップを受け取りながら、鷹央はなんの前置きもなく言う。

「え？　あ、はい、そうですけど。この前、そのことお話ししましたっけ？」

「いえ、気にしないで下さい。ところでその、何でしたっけ、……霊能力者という人には、僕たちが来ることは伝えているんですよね？」

部屋を観察して推測したとも言えず、僕は強引に話を逸《そ》らす。

「はい、ちょっと紹介したい人がいると言ったら、快く了解してくれました」

普通、詐欺師は他人がいる場でターゲットと会うことを嫌がるはずだ。よっぽど自信があるということだろうか？

「ちなみに、僕たちが医者だということは……」

「伝えていません。知り合いが一度会いたがっているとだけ言ってあります」

霊能力者と会うと決まった際、鷹央は秋恵に「私たちが医者だとは伝えるな」と釘《くぎ》をさしていた。きっと霊能力者が当てられるか試そうとしているのだろう。

「けれど、すいません。お忙しいところわざわざ来て頂いて。あの、お二人はこの近くにお住まいなんでしょうか？　あまり遅くなるとご迷惑なんじゃ」

「僕は少し離れていますけど、車で来ているから大丈夫ですよ。鷹央先生は病院の屋上に住んでいますし」

「病院の……屋上ですか？」

「ええ、そうなんですよ。屋上の真ん中にレンガ造りの家があって、そこに住んでいるんです。外観はヨーロッパの童話に出てくるみたいな可愛《かわい》らしい感じですけど、中は数え切れないくらいの本が散乱してお化け屋敷みたいに……」

「散乱してるわけじゃない。ちゃんと配置に規則性があるんだ」鷹央は口を尖らす。

「はあ、何というか……すごいですね。……っ！」

秋恵は突然うめき声を上げると、右の脇腹を押さえ、その場にしゃがみ込んだ。僕と鷹央は慌《あわ》ててソファーから腰を浮かす。

「大丈夫ですか⁉」

「はい。ちょっと腹痛が……すぐに落ち着きますから」秋恵は額に脂汗を浮かべながら声を絞り出す。その態度はどう見ても『大丈夫』には見えなかった。

数分間、顔をしかめ腹を押さえた後、秋恵は「お騒がせして申し訳ありません」と言ってゆっくりと立ち上がった。その時、部屋にピンポーンという軽い音が響く。弾《はじ》かれたように秋恵は蒼白《あおじろ》い顔を上げた。

「きっと先生です！」

顔をほころばせ廊下の奥へと向かった秋恵は、一分ほどして一人の女性を連れてリビングに戻ってきた。

「こちらは天久先生と小鳥遊先生です。そして、こちらが杠《ゆずりは》先生です」

秋恵がまだ脇腹を押さえながらも、健気《けなげ》に双方を紹介していく。

「はじめまして、杠阿麻音《あまね》と申します」

『霊能力者』は優雅に頭を下げる。長身の女性だった。一七〇センチはあるだろう。年齢は僕と同じぐらいだろうか。ボブカットの黒髪、高い鼻、意思が強そうな二重の目。一見するとキャリアウーマンのような雰囲気をかもし出している。僕が想像していた、怪しげな霊能力者像からはかなり離れた人物だった。

阿麻音と名乗った女性をまじまじと観察していると、となりに立っていた鷹央が突然、肘鉄《ひじてつ》で僕の脇腹をえぐった。予想外の攻撃に息が詰まる。

「なに鼻の下を伸ばしてんだよ。場所と状況を選ばず発情するんじゃない」

鷹央は軽蔑《けいべつ》の視線を浴びせかけてくる。

発情なんてしていない、と反論しようとする僕を尻目《しりめ》に、鷹央はつかつかと阿麻音に近づいて行く。身長が一五〇センチに満たない鷹央は、首を反らして阿麻音を見上げた。

「お前が霊能力者か？」

「霊能力者、ですか。そう呼ばれることもありますね」阿麻音は柔らかく微笑《ほほえ》んだ。

「自分で名乗っているわけじゃないのか？」

「ええ、私はただ他人と自分の魂を同調、……シンクロできるだけです」

「魂を同調？　なんだそれは？」鷹央は小首をかしげる。

「すべての人間は強いエネルギーを内包しています。そしてそのエネルギーは個人の意思や経験によって常に変化していきます。私はそのエネルギーを便宜的に『魂』と呼んでいます。魂に触れることができれば、その人のことを深く知ることができます。本人が知っているよりも深く……」

「なるほど。それはどんな奴《やつ》が相手でもできるのか？」

「ええ、魂のシンクロはそれほど難しいことではありませんから。ご希望であれば、いまこの場でご覧に入れてもよろしいですよ」

阿麻音は笑みを浮かべたままうなずく。

「本当か⁉　それじゃあ、ぜひこいつの魂とやらを見てやってくれ」

鷹央はびしりと僕を指さす。

「え？　僕ですか？」僕は目をしばたたかせる。

「そうだ。魂を読んで、こいつの秘密を見抜いてやってくれ。どんな恥ずかしい秘密でもかまわないぞ」

めちゃくちゃ言うんじゃない。

「ええ、かまいませんよ」

鷹央の要求をあっさりと了解した阿麻音は、僕の目の前まで近づいてにっこりと微笑むと、真っ直ぐに目を覗き込んできた。美人に至近距離で見つめられ、思わず視線を外してしまう。

「ゆっくり深呼吸してください。できる限りゆっくり。そう、そしてできるだけ何も考えないようにして……」

阿麻音は開いた右手を僕の額の前にかざすと、瞼を落とす。どうして良いか分からず、僕はされるがままに立ち尽くした。

数十秒、その体勢のまま時間が流れていく。時計の針が時を刻む音がやけに大きく響いた。目を閉じたまま、阿麻音はゆっくりと赤い口紅のさされた唇を開く。

「白い服……これは白衣ですね。白衣を着ているあなたが見えます。あなたは研究者、……いえ、お医者さんですか？」

阿麻音は僕の職業を言い当てる。しかし、僕はそれほど驚かなかった。さっき秋恵が紹介するとき、僕たちを「先生」という敬称をつけて呼んだ。秋恵が体の不調に悩まされていることを考えると、僕が医者であることを予想するのはそう難しいことではない。それ以前に、秋恵が口を滑らして、前もって僕たちの情報を流してしまっている可能性だって否定はできない。

「あなたは……。車がお好きですね。とくにスポーツカーが。……平たい車。外車？　いえ違いますね。国産ですけど独特な形をした黒い車に乗っている……」

胸の中で心臓が跳ねる。たしかに僕が乗っているRX－8は国産の黒いスポーツカーだ。けれど、なぜそのことを？　秋恵も僕の愛車を見たことはないはずだ。

「それに、あなたはスポーツをやっていますね。スポーツ……と言うより格闘技かしら？　あなたが汗だくで殴り合っている姿がぼんやりと見えます。これはボクシング？　いえ、空手かしら？　すいません、格闘技は詳しくないもので」

目を開けた阿麻音が軽く首をすくめながら言う前で、僕はかすれ声で「空手です」と答える。たしかに僕は大学時代空手部に所属し、稽古《けいこ》に打ち込んでいた。いまも時間があれば大学の稽古に顔を出すこともある。

「すごいです！　やっぱり阿麻音さんはすごい！」

秋恵が歓声を上げる。興奮のためか、蒼白《そうはく》だった顔にわずかながら赤みが差している。

「これで私の能力を信用してもらえましたか？」

阿麻音は柔らかい口調で鷹央にたずねた。

「素晴らしいな。ああ、たしかに素晴らしい能力だ」

言葉を切った鷹央は、どこか哀《かな》しげな笑みを浮かべる。

「でも残念ながら……、お前は詐欺師だ」

その言葉に強く反応したのは、阿麻音よりも秋恵の方だった。

「なんで阿麻音さんが詐欺師なんですか⁉　だって……」

「この女は小鳥《ことり》が視線を外した隙《すき》に、何気なく小鳥の全身に視線を這わせて観察した。そして、そこからわかることを言い当てたんだ。コールドリーディングってやつだな。

外見や何気ない会話から相手の情報を得て、それを言い当てる技術だ」

「けど、小鳥遊先生が空手をしているなんて、私も知らなかったのに……」

秋恵がつぶやくと、鷹央は僕を無造作に指さす。

「こいつのごつい体をみたら、誰でもスポーツやっていることぐらい予想がつく。それにこいつは、両手の甲に特徴がある」

鷹央の言葉を聞いて、僕は視線を下げ、自分の手の甲を見る。人差し指から薬指にかけての指の付け根、そこの皮膚が厚くなり、わずかに隆起していた。拳《けん》ダコ、空手部に所属した学生時代、巻藁に数え切れないくらい正拳突きを打ち込むことで出来上がった空手家の勲章だ。医師になって稽古が減ってからは、かなり目立たなくなってはいるが、いまも定期的に拳立て伏せなどのトレーニングを行っているおかげで、まだ少しは跡が残っている。

「そのタコは拳を使う格闘技に特徴的なものだ。それを見て小鳥がボクシングか空手の心得があることを見抜いたんだ。その女はさっき、小鳥の手の甲を見た瞬間、瞳孔《どうこう》が開いた。無意識に興奮したからだ」

そんなところまで見ていたのか……。僕は阿麻音よりも鷹央の観察力に驚きをおぼえる。

「それじゃあ、黒いスポーツカーに乗っているってことは……」

声を上ずらせながら、秋恵が質問を重ねた。

「その女は私たちがここに来ることを聞かされていた。だから前もって近くで、この部屋に来る人物を監視していたんだろ。私たちはすぐ近くの駐車場に車を停めてここに来た。それを目撃して、超常的な能力でそれを言い当てたかのように演出したんだ。この女が約束の時間に遅れたのも、私たちを観察するためだ」

鷹央が語った説明はこれ以上なく明確で、反論の余地がないように思えた。しかし、阿麻音は動揺を見せることなく、笑みを浮かべたまま口を開いた。

「信じてもらえなくて残念です。けれど気にしていませんよ。こういう仕事をしているので、疑われることには慣れています。たしかに簡単には信じられないことですから」

「あくまで、自分は超常的な能力を持っているって言うのか?」

鷹央はこれみよがしに肩をすくめる。

「ええ、もちろん。それが真実ですから。私としては、信じない方に無理に信じてもらう必要はないと思っているんですが、ただこのままだと、秋恵さんが私に疑念を持ってしまい、呪いの治療をするのに支障をきたしそうですね」

うなずいた阿麻音は、挑発的な視線を鷹央に向けた。

「もしよろしければ、あなたの魂を読んで、私の能力を証明させていただけませんか？」

「私のか？」鷹央はぱちぱちと数回まばたきすると、にやりと笑みを浮かべる。「ぜひやってみてくれ！」

「では」鷹央に近づき、その額の前で手を広げた阿麻音は、再びまぶたを落とした。

重い沈黙が部屋に満ちた。数十秒後、目を閉じたままの阿麻音が沈黙を破る。

「あなたの住んでる部屋が見えます。失礼ですけど……かなり散らかっていますね。これは……本……かしら？　かなりの数……」

鷹央のもともと大きな目が、さらに大きく見開かれる。

「ここは……屋上？　病院の屋上に……レンガ造りの建物？　……ここが家？」

そこまで言ったところで、阿麻音は頭を振って目を開くと、大きく息を吐き出した。

「すみません、ちょっと調子が悪いみたいで。なにか……病院の屋上に可愛い家《うち》が見えた気がしたんですけど、そんなわけないですよね。あなたの職場とお家のイメージが重なったみたいです」

軽く息を乱しながら、阿麻音は悔しげに唇を噛《か》む。

「いや、お前の言うとおりだ。私の家は病院の屋上に建っているぞ」

「あら、そうなんですか？　え、屋上に？」阿麻音は不思議そうに小首をかしげる。

「すごいぞ。どうやって分かったんだ？　外見やこれまでの会話では、そのことは分からないはずだ」

「ですから、あなたの魂に触れたんですよ」阿麻音は苦笑をうかべた。

「なるほど、魂にな……。それで、お前はその女の呪いを解くって言っているんだよな。その『魂』と『呪い』にはどんな関係があるんだ？」

興奮したまま、鷹央は勢い込んで訊ねる。

「魂のエネルギーは、人が死んでも完全に消え去るわけではありません。それはこの世界に残り続けます。特に強い感情を含んだエネルギーは」

阿麻音はちらりと秋恵に視線を向けた。

「秋恵さんの昔の恋人は亡《な》くなる際に、強いネガティブな感情に支配されていました。そして彼が命を落とした時、ネガティブなエネルギーの一部が秋恵さんへと向かい、秋恵さんの魂に混ざり込んでしまったんだと思います。普段は魂の奥で息をひそめているそのエネルギーは、『結婚を意識する』ということを引き金に暴れだし、秋恵さんを苦しめるんです。私はそのエネルギーに干渉して、消し去ってしまおうと思っています」

阿麻音は軽く胸を張る。その力強い口調は、『呪い』などまったく信じていない僕でさえ思わず納得してしまいそうな程の説得力を内包していた。

「お前は大金さえもらえれば、それを治せるって言うのか？」

鷹央が訊ねると、とたんに阿麻音は表情を曇らせる。

「無料でできればいいんですが、私もこれを仕事にして生きていますから。それに、今回のように強い負のエネルギーを取り除くのはとても危険なんです。失敗すればそのエネルギーは私の魂に混ざりこんで、私が苦しめられることにもなりかねなくて」

「いいんです、阿麻音さん！」唐突に秋恵が声を張る。「たしかに三百万円は大金ですけど、体が治るなら、この呪いから解放されて幸せになれるなら、それくらい……」

そこまで言ったところで、急に秋恵が咳《せき》をしだした。

最初は軽くコンコンと咳き込むぐらいだったが、次第に咳の発作は激しさを増し、ついには両手で口を押さえ体をくの字に折りはじめる。

「大丈夫ですか？」

驚いた僕が声をかけて近づくと同時に、秋恵は一際《ひときわ》強く、まるで嘔吐《おうと》でもするかのように咳き込んだ。僕の顔にしぶきが打ちつける。反射的に顔をぬぐうと、手の甲に赤黒い液体がべっとりとこびりついた。

「……血？　……また？」

血液がついた手のひらを見つめて呆然《ぼうぜん》とつぶやいた秋恵は、唐突に自分の喉元《のどもと》を押さえて身をこわばらせる。喉からヒューという笛を吹くような音を響かせながら、秋恵はその場に崩れ落ちた。

いったいなにが？　慌ててひざまずいた僕は、秋恵の顔をのぞき込む。その唇が青紫色に変色していた。チアノーゼ？　血中の酸素が足りていない？

僕は「失礼します！」と一言断ってから、秋恵の胸元に直接耳をつける。右の胸からまったく呼吸音が聞こえない。これは……。

「鷹央先生、救急要請を！　気胸を起こしています。早く搬送しないと！」

僕は声を嗄《か》らして叫ぶ。肺に穴が開き、そこから漏れ出した空気によって胸腔《きょうくう》内の圧力が上がったことで、肺が押しつぶされているのだ。

「えっ、ききょ……、え、えっ？　きゅうきゅうって？　え？」

鷹央は一瞬にして挙動不審になる。ああ、そうだった。この人、冷静沈着なようでいて、予想外のことが起こるとすぐにパニックになるんだっけ。

「救急車ですね。すぐに呼びます」

使いものにならなくなった鷹央に代わって、阿麻音がスマートフォンを片手に言う。

「すぐに救急車が来ますからね。大丈夫ですから、ゆっくり深呼吸をして」

僕は秋恵に声をかけ続ける。診断はできても、医療器具がなにも無い状態では治療ができない。なんとももどかしかった。

「もう赦《ゆる》して。……お願いだから赦して、……恭介」

苦しげに空気をむさぼりながら、秋恵は息も絶え絶えにつぶやき続けた。

3

外出許可証にサインを書き込んだ僕は、隣に立つ若い看護師に差し出す。

「ありがとうございます、小鳥遊先生」

十階西病棟の看護師である相馬若菜《そうまわかな》は、にっこりと微笑みながらそれを受け取った。切れ長の目、すっと通った鼻筋、細い唇。整いすぎた顔とスレンダーな長身のせいで、一見すると冷たい印象を受ける若菜が浮かべた柔らかい表情に、思わず口元が緩んでしまう。

「こんな遅くなってごめん。本当なら二時間前までに書いておかないといけなかったんだけど」

「気にしないでください。先生、今日は救急の当番だったんですよね。それなら仕方がないですよ。ちゃんと忘れずに書いてくれただけでも感謝です」

「いや、さすがに忘れないって。そこまで相馬さんに迷惑かけないよ」

「忘れて帰ったら、携帯に電話して呼び出しちゃうつもりでした」

若菜はおどけるように言う。

「相馬さんに呼び出されたら、いつでも喜んで病院に来るよ」

「本当ですかぁ？　今度夜勤で忙しいときに呼び出しちゃいますよ」

若菜は少女のように悪戯《いたずら》っぽい笑みを浮かべる。その表情は魅惑的で、胸の中で心臓が大きく鼓動した。

四年目の看護師である若菜は最近、統括診断部の患者が入院する際に担当になることが多かった。そのおかげで自然と言葉を交わす機会が増え、冗談が言い合えるほどに打ち解けてきている。

「それじゃあ私は、患者さんに外出のこと伝えてきますね。さっきからずっと、そのことを気にしていたんで。小鳥遊先生、今日もお疲れさまでした」

コケティッシュに会釈《えしゃく》すると、若菜は身を翻《ひるがえ》した。ほっそりとした後ろ姿が廊下の奥に消えていくのを僕は見送る。次の瞬間、背後から伸びてきた手が、僕の両肩にかけられた。

「なーにしているんですか？　小鳥先生」

耳元で発された陽気な声を聞いて、せっかくの気分が台無しになる。見なくても、相手が誰だかすぐに分かった。

「なんの用だよ、鴻ノ池《こうのいけ》？」僕は肩に置かれた手を払いながら振り返る。

少し茶色が入ったショートカットに小麦色の肌、一年目の研修医にして僕の天敵でもある鴻ノ池舞《まい》が悪戯っぽい笑みを浮かべていた。若菜の同じような表情を見たときとは違い、なにかおかしなことをされるのではないかという不安で心臓の鼓動が早くなる。

鴻ノ池は今月から、統括診断部と同じく十階西病棟にベッドを持っている消化器内科を回っているので、最近よく病棟で顔を合わせていた。

「いやー、なんか小鳥先生がエロい目で若菜ちゃん見つめているから、ちょっとからかおうかなぁと思って」鴻ノ池は悪びれることなく言う。

「からかおうかって……。そもそも、べつにエロい目なんてしてない」

「えー、小鳥先生、そこはちょっと自覚した方がいいんじゃないですか？　目尻下がって、鼻の下伸びてましたよ。もう、いまにも涎《よだれ》が垂れそうでしたよ」

真顔で言われて、僕は慌てて自分の口元を隠す。そんな僕を見て、鴻ノ池は肩をすくめて大きなため息をついた。

「それにしても、今度は若菜ちゃん狙《ねら》っているんですかぁ？　本当に惚《ほ》れっぽいですねえ」

「べ、べつに狙ってなんて……」自分でも情けなくなるぐらい、声が上ずってしまう。

「誤魔化しても無駄ですよ。この数ヶ月、こなをかけたナースとか薬剤師を見て、先生の好みは完全に把握しているんですから。先生って細身で身長が高い女の人、好きですよね。あと顔はかわいい系よりきれい系。まあ、真鶴《まづる》さんみたいなタイプですよね」

鴻ノ池はにやりと皮肉っぽい笑みを浮かべる。この病院に赴任してすぐに、鷹央の姉である天久真鶴に一目惚れしたことを混ぜっ返され、表情が引きつってしまう。

「相馬さんって、真鶴さんと雰囲気似ていますよね。先生、どストライクでしょ？」

鴻ノ池は肘で僕の脇腹《わきばら》をついてくる。図星なだけに何も反論できなかった。

「でも、若菜ちゃん狙っても、多分無駄ですよ。この前、若菜ちゃんと飲みに行ったとき、先生のこと『いい人』って言っていましたから」鴻ノ池は顔を左右に振る。

「えっ、相馬さんと飲みにいったの？　それに『いい人』って言ってた⁉」

思わず身を乗り出してしまう。鴻ノ池は「どうどう」と僕の両肩を押さえて、浮かしかけた腰を椅子《いす》に戻させる。

「小鳥先生、よく聞いてくださいね。女は気になる相手に『いい人』なんて言いませんよ。少なくともいまのところ、若菜ちゃんは小鳥先生のこと恋愛対象とは見ていません」

諭すように言われ僕は肩を落とす。たしかにそのとおりかもしれない。

「ああ、そんなに落ち込まないで。べつに小鳥先生、評判悪くはないんですよ。優しいし、身長高いし、顔も悪くないし、仕事もできるし、あとからかい甲斐《がい》があるし」

……からかい甲斐がある？

「じゃあ、なんで恋人できないんだよ」

「たぶん優しすぎるんじゃないですか？　全身から優柔不断で八方美人な感じがにじみ出ているし」

人差し指を唇に当て、視線を宙に彷徨《さまよ》わせながら鴻ノ池はつぶやく。思い当たる節がありすぎて、気分がさらに沈んでいく。

「あっ、あと一番の問題は、院内では鷹央先生と小鳥先生が付き合っていると思っている人が多いからじゃないですかね」

「その噂《うわさ》流したの、お前だろ！」

胸の前でぱんっと手を合わせた鴻ノ池に、僕は反射的に突っ込む。鴻ノ池は「えへへ」と舌を出した。

「どうせ僕には当分春なんて来ないんだよ……」

僕は力なく独りごちながらうなだれる。

「だから、そんなに落ち込まないでくださいよ。なんか、私がいじめているみたいじゃないですか」鴻ノ池が慌てて声をかけてくる。

お前がいじめているんだよ……。

「あっ、そうだ。よかったら今度、合コンでもします？　私、顔広いから、可愛い女の子の友達いっぱいいますよ」

「ぜひ！」僕は勢いよく顔を上げた。

「うわっ……。この人、本気だ……。まあ、べつに合コンセッティングするぐらいならいいですけど、あくまで楽しく飲むだけですよ。小鳥先生には鷹央先生がいるんですから」

「鷹央先生とはそういう関係じゃないって言っているだろ」

僕が疲労をおぼえながら言うと、鴻ノ池はくっくっとくぐもった笑い声を漏らす。

「そんなこと言えるのは今のうちですからね。いつか私がキューピッドになって、どんな手段を使っても二人をくっつけるんですから。あっ、そろそろ患者さんの点滴終わるから様子見にいかないと。それじゃあ小鳥先生、失礼しますね」

不吉なセリフを残して、鴻ノ池はナースステーションから出て行った。

あいつの相手したあとってやけに疲れるんだよな……。僕は自分の肩を軽く揉《も》みながら表情を引き締める。鴻ノ池と馬鹿《ばか》な会話をしたせいで気が抜けてしまったが、これから大切な仕事が待っているのだ。

立ち上がってナースステーションを出た僕は、人気のない廊下を歩いて行く。大山秋恵が入院している病室に向かって。

二週間ほど前、自宅で倒れた秋恵はこの病院の救急部に搬送された。そして、胸にたまった空気を抜くために、胸腔にチューブを差し込む処置がとられた後、入院となった。脱気により呼吸状態は回復し、四日前にはチューブも抜去できている。喀血《かっけつ》は入院後は起こっておらず、胸腹の痛みもなにをしたわけでもないのに数日で治まっていた。体調的にはすでに退院を考えても良い状態だろう。しかし、やはりいくら検査をしても、秋恵の体に起きたことの原因は解明できていなかった。

目的の病室の前まで来て、僕は左手首の腕時計に視線を落とす。あと少しで面会時間が終了する午後八時になる。

病室に入ろうとすると、スーツ姿の人の良さそうな男性が中から出てきた。男性は会釈をしながらすれ違っていく。その背中を見送った後、僕は室内へと入った。

カーテンの外から「こんばんは」と声をかける。すぐに「どうぞ」と弱々しい声が返ってくる。カーテンを開けると、ベッドに横になった秋恵が緩慢に頭を動かして僕を見た。床頭台に設置されている蛍光灯の光が、その顔に濃い陰影を落としている。

「外出の許可証、ありがとうございました。さっき相馬さんから外出についての注意事項を教えていただきました」

秋恵は平板な口調で言う。明日病院から外出する秋恵は、一時的に自宅マンションに戻ることになっていた。阿麻音に会い、呪いを解いてもらうために。

入院中、いつの間にか秋恵は阿麻音と連絡を取り、そのことを決めていたらしい。

「さっき出て行った男性って……」

「お付き合いしている人です」暗かった秋恵の顔が、かすかにほころぶ。

「やっぱりそうですか。優しそうな方ですね」

「ええ、とっても優しい人です。この前、私が『体調が良くなるまで結婚の話は待って』と言ったら、嫌な顔一つしないで理解してくれました。それ以来、腹痛も血を吐くこともないんです」

つまりは、結婚の話が保留になったら症状が出なくなったということか。脳裏に『呪い』という言葉が浮かび、僕は顔をしかめる。

もはや、秋恵にとって頼れるのはあの霊能力者だけになってしまっているのだろう。

「先生はやっぱりまだ、阿麻音さんのこと疑っているんですね」

僕の表情を読んだのか、秋恵は悲しげに言った。

「あ、いいえ、そういうわけでは……」

「正直に言います。私……できれば先生たちにはついてきて欲しくありません」

秋恵の表情が硬くなる。鷹央が出した外出の条件は、鷹央と僕の二人がついて行くことだった。秋恵は主科が統括診断部、兼科で呼吸器内科ということで入院している。つまり、主治医は統括診断部の部長である鷹央だということだ。当初、秋恵は僕たちの同行を渋ったが、主治医である鷹央は頑としてその条件を譲らなかった。主治医の許可がなければ外出はできない。最終的に、秋恵はしぶしぶ同行を認めていた。

「また何か、おかしい症状がでないとも限らないんで」

「分かっています。けどもう……迷いたくないんです」蚊の鳴くような声で秋恵は言う。

「迷う、ですか?」

「そうです。私だって完全に呪いを信じているわけじゃないんです。いまだって、阿麻音さんにだまされているんじゃないか、凄《すご》く馬鹿なことをしているんじゃないかって、ずっと不安なんです。けれど……けれど、私にはもう選択肢がないんです」

目を閉じ、眉間《みけん》に深い皺《しわ》をきざむ秋恵を前に、僕はなにも言えなくなる。

「原因が分かって、ちゃんと治療してもらえるのが一番良いんです。でも、どんなに検査してもはっきりとは原因がわからない。だから阿麻音さんに頼むしかないんです。それ以外に、彼と結婚して幸せな家庭を築く方法はないんです！」

秋恵は自らの迷いを振り払うかのように叫ぶと、すぐに「大きな声を出してすいません」と小声で謝罪する。その姿はあまりにも痛々しかった。

「……なんにしろ、完全に治ると良いですね」

医者として、そんなことしか言えないのがなんとも歯がゆかった。弱々しくほほ笑む秋恵に「おやすみなさい」と言い残して、僕は病室を後にする。

病室から出た僕は屋上に向かう。階段をのぼり屋上に続く重い扉を開くと、夜風が吹き込んできた。白衣の襟元を合わせた僕は、鷹央の〝家〟の裏手にある、自分のデスクが置かれている小さなプレハブ小屋へと向かう。

ふと、薄い明かりが漏れている〝家〟の窓に視線を向けた。いまごろ鷹央は、ソファーに横になって、読書でもしているのだろう。

秋恵が入院してからの約二週間、鷹央は杠阿麻音の能力や秋恵の体に起こっている症状についてほとんど口に出さなくなっていた。しかし、それは鷹央が興味を失ったからではなくその逆であることを、僕は八ヶ月の鷹央との付き合いで知っていた。

鷹央は本気で『謎《なぞ》』に取り組んだとき、そのことを自分の頭の中だけで処理しはじめ、全く口にはしなくなる。

明日、鷹央はなにをするつもりなのだろう？　はたして鷹央は、秋恵を『呪い』から解放することができるのだろうか？

屋上を吹く夜風が、僕の首元から体温を奪っていった。

秋恵が鍵《かぎ》を回し、扉を開ける。土曜の昼下がり、僕と鷹央は病院から一時外出した秋恵とともにマンションを訪れていた。

「どうぞ……」

「お邪魔します」

僕は鷹央とともに室内に入る。部屋の中は二週間前と変わった雰囲気はなかった。秋恵の説明では、田舎から母親がきて部屋を片付けてくれたらしい。

「まだ、あの霊能力者は来ていないんだな？」

楽しげに鷹央が言う。その肩には小ぶりなリュックサックが背負われていた。いったいなにが入っていることやら……。

「はい、お昼過ぎって伝えていましたんで、たぶんもうすぐいらっしゃると思います」

「そうか。それで、今日ここで呪いを解くつもりなんだな」

「はい。あの……失礼ですけど天久先生、できればもう、阿麻音さんのことを試したりしないでください。私、阿麻音さんに賭《か》けてみようって決めたんです」

強い決意がこもった口調で言う秋恵に、鷹央は笑顔でうなずく。

「ああ、分かった。けれど実は私も一つあの女に相談したいことがあるんだ。呪いを解く前に、その相談ぐらいさせてもらってもいいだろ」

秋恵の眉間にしわが寄る。それはそうだろう、鷹央の目的が相談などではなく、阿麻音を試すためだということは明らかなのだから。

「……その相談が終わったら、もう邪魔はしないって約束していただけますか？」

「いいぞ」鷹央はあっさりとうなずいた。

「先生はなにを相談するつもりなんですか？」

僕が訊《たず》ねると鷹央は首をすくめ、珍しく言葉を濁す。

「実はな……男のことなんだ」

「男ぉ⁉」想像だにしない言葉に、僕は目を剝《む》く。

「それって、あの……恋愛相談っていうことですか？」

眉《まゆ》をひそめながら秋恵が訊ねた。

「恋愛相談か、ある意味そうなのかもな」

普段から「男なんかより可愛い女の子の方がずっといい！」と公言している鷹央が、男との恋愛相談？　口を半開きにする僕の前で、鷹央ははにかみながら話しはじめる。

「実は病院の近くで知り合ったんだけど、恥ずかしいことに私の方が一目惚れしてしまってな。もう中年なんだけど、そうは見えないくらい可愛いんだよ。ただ、相手は妻も子供もいるから、なかなか会えなくて悩んでいるんだ。どうしたらいいのか、自分がどうしたいのかも分からなくなって……」

しかも相手は既婚の中年男⁉

「どんなアドバイスがもらえるか楽しみだな」

めまいをおぼえ、頭を振る僕の前で、鷹央はリビングテーブルの上にリュックを置くと、飛び込むようにソファーに腰掛けた。

毒気を抜かれたような表情になった秋恵が、前回のように茶を淹《い》れ、僕たちはそれをすすりながら阿麻音を待つ。

二十分ほどして、ピンポーンという軽いチャイムの音が部屋に響いた。秋恵が顔を上げ、早足で玄関に向かっていく。すぐに、『霊能力者』がリビングに姿を見せた。

「私の相談に乗ってくれ！」挨拶《あいさつ》を口にする間も与えず、ソファーから跳ねるように立ち上がった鷹央が阿麻音に走り寄る。

「そ、相談ですか」阿麻音は鷹央の勢いに軽くのけぞった。

「そうだ。ちょっと悩みがあるんだ。この前みたいにぜひ私の魂に触れて、私がどうするべきかアドバイスをくれ。そういうの得意だろ」

「え、ええ、かまいませんけど。何をお悩みなんですか？」

「せっかくだから、そこから当ててみてくれよ。できるだろ？」

鷹央は唇の端をあげる。やはり阿麻音を試そうとしているらしい。

「そんな無茶な！　いくら阿麻音さんだって……」

「いえ、問題ないですよ。やってみましょう」

声を張り上げる秋恵を遮った阿麻音は、二週間前と同じように鷹央の額に右手をかざすと、ゆっくりと瞼《まぶた》を閉じる。数十秒後、阿麻音は柔らかい口調で話しはじめた。

「あなたは……恋していますね。相談はそれについて。お相手は、……年上の男の人でしょうか。はっきりと顔は見えませんが……ダンディで素敵な雰囲気を感じます。そして、あなたがその方を慕っている気持ちも」

阿麻音が鷹央の相談内容を言い当てるのを聞き、僕は息を呑《の》む。

「けれど……あなたは迷っていますね。なぜ？　……ああ、彼に家庭があるんですね。あなたは彼に会いたいけれど……それが許されないことだと分かっている。……それがあなたの悩み」

そこまで言ったところで、阿麻音は手を下ろし目を開けると、鷹央の目をのぞき込む。

「あなたはもう、本当はどうするべきか分かっているはずです。まず彼と会って、よく話し合ってください。そして彼の気持ちをたしかめるんです。まずはそれからです」

「話し合う、か。……ちょっと難しいな」鷹央は目を伏せ、力ない口調でつぶやく。

「そんなことありません。勇気をだして」

阿麻音に励まされた鷹央はジーンズのポケットにそっと手を忍ばせる。次の瞬間、勢いよく顔をあげた鷹央はポケットから一枚の写真を取り出すと、阿麻音の目の前に突き出した。阿麻音の目が大きく見開かれる。

「これが私が片思いしている男……」

そこで言葉を止めた鷹央はにやりと笑いながら、僕たちにも写真を見せてくる。

「おっと間違えた。男じゃなくて、『オス』だったな」

写真の中ではつぶらな瞳《ひとみ》のチワワが舌を垂らしていた。鷹央は言葉を失っている阿麻音に、ずいっと近づく。

「病院のそばの家で飼われていて、よく庭で走り回っているんだ。もう六歳の中年で子供もいるけど、ぱっと見は子犬みたいで可愛いだろ。仲良くなりたくてな。さて、お前は魂に触れて、その人間の経験を読めるはずだよな。それなのにどうしてお前は私の相談を、人間の中年男との恋愛についてだと勘違いしたんだろうな。私は人間の男になんか全く興味ないのにさ」

鷹央の追及に、阿麻音の頬がかすかに引きつる。

「さて、自称霊能力者が黙ってしまったから、今度は私がちょっとした霊能力みたいなものを見せてやるとするか」

「霊能力みたいなもの?」

聞き返した僕にへたくそなウインクをした鷹央は、リビングテーブルに置いたリュックを探りだす。いったい何をするつもりだ?

「ダウジングの真似事《まねごと》だよ」

鷹央が取り出したのは、アンテナがついた黒い直方体の物体だった。はた目にはトランシーバーのように見える。

「あの、それって……」

「いいから黙って見ていろよ」

鷹央は歌うように言うと、装置の側面に付いているボタンを押しこむ。同時に、部屋の中に甲高いハウリング音が響き渡った。思わず両耳を覆《おお》ってしまう。音が不快なのか、鷹央は軽く顔をしかめながら、アンテナの先をあらゆる方向に向けていく。その度に音は大きくなったり小さくなったりした。

そのうちに、鷹央は部屋の奥にアンテナを向け、じわじわと進みはじめた。ハウリング音が次第に大きくなっていく。

鷹央は「ここだな」とつぶやくと、リビングに置かれたソファーの前で足を止める。ハウリング音は鼓膜に痛みを感じるほどの音量になっていた。機器の電源を切って音を止めた鷹央はソファーにしがみつき、歯を食いしばる。おそらくソファーを動かそうとしているのだろう。しかし、小柄な鷹央の力ではピクリとも動かなかった。

「突っ立っていないで、手伝えよ」

さっき「黙って見ていろ」って言ったじゃないか。僕はしかたなく鷹央の代わりにソファーを摑《つか》んで移動させた。

「それだ！」鷹央はソファーの裏にあった白く小さい物体を指差す。

それはなんの変哲もない電源タップだった。一つのコンセントから複数の電源をとるため、いくつかのプラグ差し込み口がついている小さな機器。それがソファーの裏に隠れていたコンセントに差し込まれていた。

「それがなにか？　たんなる電源タップじゃないですか」

「ああ、確かに電源タップだ。けれど『たんなる』じゃない。そうだよな」

鷹央に水を向けられた阿麻音は硬い表情を晒《さら》したまま、なにも喋《しゃべ》らなかった。鷹央はコンセントから電源タップを外すと、今度は十徳ナイフをリュックから取り出し、危なっかしい手つきで分解しはじめる。

「これを見ろ」

かなりの時間をかけて分解を終えた鷹央は、その内部を見せつけてくる。そこには、電源をとるのに必要な部品の他に、ペットボトルの蓋《ふた》ぐらいの大きさの、黒い円柱状の部品が仕込まれていた。その中心部はスピーカーのように網目になっている。

「なんですか。それ？」僕は目を凝らしながら、その見慣れない部品を眺める。

「見たら分かるだろ」

「いや、見て分からないから聞いているんですけど……」

「どこからみても盗聴器じゃないか」

「盗聴器⁉」思わず声が跳ね上がる。「何でそんなものが？」

「お前なあ、ちょっとは自分で考えろよ。そのでかい頭の中に豆腐でも詰めてるのか？　そこの女が仕掛けたに決まっているだろ」

鷹央はビシリと阿麻音を指さす。阿麻音の頰の引きつりがさらにはっきりとなった。

「そいつははじめてこの部屋に上がり込んだときに、家主がお茶でも淹れている隙にこれを仕掛けたんだ」

「なんで……阿麻音さんが？　なんで……」秋恵はあえぐようにつぶやく。

「自分を霊能力者だと思い込ませるために決まっているだろ。盗聴して得た情報を、さも自分が超常的な力で見抜いたように見せかけたんだ。強力なコールドリーディングと組み合わせれば、不思議な力を持っていると信じ込ませるのも難しくなかっただろうな」

鷹央はぴょこんと立てた人差し指を、メトロノームのように左右に振った。

「そんな……」

　秋恵は腰が抜けたように、へなへなと床に座り込む。秋恵にとって阿麻音は、自分を呪いから救ってくれる救世主だった。しかしいま、救世主の化けの皮が剝《は》がされつつある。

「……それを私が置いたっていう、確実な証拠はあるのかしら？」

　阿麻音は再び顔に笑みを貼《は》り付ける。

「いや、ないな。お前が来る前の私たちの会話を聞いて、私が中年男と不倫しているって勘違いしたのも、直接的な証拠とまでは言えない。それで、お前は自分が盗聴器をしかけたんじゃないって言うのか？　自分はあくまで霊能力者だと？」

「もしそう言ったら？」阿麻音は質問に質問を返した。

「お前の手口は見事だった。霊能力でこそなかったが、コールドリーディングは超人的と言ってもいいものだった」

　鷹央は阿麻音に近づくと、下からのぞき込むように睨《ね》め上げる。

「これだけスムーズな手口だと、今回が初めてとは思えない。きっと何度も似たような詐欺《さぎ》を繰り返しているはずだ。私は警察に知り合いも多い。そいつらに電話して、この場に来てもらおうか？　この場で逮捕はできなくても、任意同行ぐらいは求められるだろうな。結構面倒なことになるんじゃないか？」

鷹央は挑発するように鼻を鳴らす。数秒の沈黙の後、阿麻音はふぅと大きく息を吐くと、バンザイをするように両手を挙げる。

「オーケー、降参。私の負けよ。だから、警察を呼ぶのはやめてくれる？」

これまでとは一変して、阿麻音はおどけるような口調で言う。

「自分が詐欺師だと認めるんだな？」

鷹央が言うと、阿麻音は芝居じみた仕草で肩をすくめた。

「詐欺師？　いいえ、私はれっきとした霊能力者よ。けれど、私の才能に嫉妬《しっと》した人たちが、あることないこと世間にふれ回っているのよ」

「あくまで、自分には超常的な能力があるって言い張るのか？」鷹央は眉根を寄せる。

「ええ、そうよ。本当なら、私は秋恵さんの症状を改善させてあげることができたはず。けれどあなたのせいで、それも全部おじゃんね」

「なにが言いたいんだ？」

鷹央は訝《いぶか》しげにつぶやく。阿麻音はこりこりと人差し指でこめかみを掻《か》いた。

「あなたが余計なことをするまで、秋恵さんは私のことを信頼してくれていた。その状態で私が一言『あなたの呪いは解けたわ』って言えば、完全に治るまではいかなくても、かなり症状は楽になったはずよ」

「なるほど、プラセボ効果ってわけだな」鷹央は胸の前で両手を合わせる。

プラセボ効果、偽薬効果。薬効成分が入っておらず、効果がまったくない偽薬でも、それが本物の薬だと思い込んで服用すれば、ある一定の症状改善をもたらすという現象。

人間の精神と体は密接に関わり合っている。精神的なストレスによって、血圧上昇・耐糖能異常・胃潰瘍《かいよう》・免疫《めんえき》力の低下等々、体に様々な不調をきたすことがある。

秋恵の症状は、喀血はともかくとして、腹痛に関してはストレスによる機能性胃腸症の可能性が高い。たしかに阿麻音を心から信頼した状態で、「もう大丈夫」と一言声をかけられただけで、病状が劇的に改善した可能性はあった。

「いいえ、それが私の霊能力なの。けれど、その力を使うためには、相手が私を心から信頼してくれている必要があった。残念だけど、あなたのせいで秋恵さんは私を疑ってしまっている。もう私の能力で秋恵さんを治療することができない」

呆然と床にへたり込む秋恵を見下ろしながら、阿麻音はこれ見よがしにため息をつく。

「あなたが余計なことをしなければ、秋恵さんの症状は良くなって、私はそれに見合った代金をいただくことができた。みんなが幸せになったのよ。けれどあなたのせいで、これからも秋恵さんは苦しむことになる。これで満足なの？　それとも、あなたが秋恵さんを治してあげられるの？」

「私の専門は診断学で、治療は専門外だ」

鷹央の答えを聞いた阿麻音は、呆《あき》れたように首を左右に振る。しかし、すぐに鷹央は胸を張り、言葉を続けた。

「『診断』を舐《な》めるなよ。必要なデータさえ揃《そろ》えば、私の知能と知識で、どんな謎の真相も解き明かしてやる。お前のコールドリーディングなんかより、私の診断の方がはるかに患者のことを見抜けるんだよ」

「……私はコールドリーディングなんてしていないって言っているでしょ。それで、あなたの『診断』がそんなにすごいなら、なんでいままで苦しんでいる秋恵さんを救えなかったのよ？」プライドが傷つけられたのか、阿麻音の目つきが鋭くなる。

「お前に心酔している間は、たとえ私が正しい診断を下してもお前の方を信用して、治療を拒否する可能性があったからな。だから、お前がペテン師であることを理解させられるチャンスを待ったんだよ」

鷹央はその場で回れ右をすると、へたり込んでいる秋恵へと近づき、顔を覗《のぞ》き込む。

「お前の症状は、結婚の話が出ると生じるようになる。以前、お前は生理痛の薬を飲んでいたが、現在は飲んでいない。そして、お前は結婚したら早めに子供が欲しいと思っている。そうだったな？」

「え、え……」

「そうだな？」

唐突に早口で質問を浴びせかけられ口ごもる秋恵に、鷹央はずいっと顔を近づける。

「は、はい。そうです」

「なるほど、なら答えは簡単だ……」

鷹央はもったいつけるように一拍おくと、口を開いた。

「お前が飲んでいたっていう生理痛の薬、それは低用量ピルだった。そうだろ？」

低用量ピル？　混乱する僕を尻目《しりめ》に、鷹央は喋り続ける。

「低用量ピルを飲んでいれば生理が起きなくなる。一般的には避妊のために使われる薬だが、消炎鎮痛剤でもなかなかコントロールできないぐらい生理痛がひどい患者に、生理自体を起こさせないようにするために処方されることもある」

「そ、そうです。たしかにピルを飲んでいました」秋恵はためらいがちに頷《うなず》いた。

「お前はピルを飲んでいた。けれど見合いをして、結婚を前提とした交際が始まりそうになったり、恋人にプロポーズをされたりしたら、それを飲むことをやめていた。結婚したら、できるだけ早く子供が欲しいから」

「は、はい。けれど、何でそれを……？」

秋恵は口を半開きにしてつぶやく。次々と事実を言い当てていく鷹央の姿は、二週間前に僕や鷹央のことについて言い当てた阿麻音を彷彿《ほうふつ》させた。

「いいから黙って聞いていろ。お前が呪いだと思っていた症状、それが出現していたのは、生理中かその前後だったんじゃないか？」

鷹央の詰問《きつもん》するような口調に、軽く怯《おび》えの表情を見せつつ、秋恵はためらいがちに「はい……そうです」とうなずいた。

「なら簡単だ。お前の腹の痛みは生理痛だよ」

鷹央の言葉に僕は首をひねる。生理痛？　それはないんじゃないか？　だって……。

「違います！　あれは生理痛なんかじゃありません！　たしかに似ている痛みですけど。痛いのは下腹部じゃなくて脇腹なんです。全然場所が違います！　それに痛いだけじゃなくて、血を吐いたり気胸になったり……」

僕の疑問と同じことを叫んだ秋恵の目の前に、鷹央は人差し指を一本立てた左手を突き出した。

「子宮内膜症だ」

「子宮……内膜症？」秋恵はおずおずとその単語をおうむ返しする。

「そうだ。子宮内膜症。子宮内膜の組織が子宮内部以外の場所に迷い込んで生じる疾患だ。特に子宮や卵巣《らんそう》以外に生じた場合は、『異所性子宮内膜症』と呼ばれる。どこにあろうと子宮内膜組織であることには変わりないから、増殖していき、そして月経時に剝離《はくり》する。その際に、生理痛に似た疼痛《とうつう》を起こすことがある」

「あっ！」鷹央の説明を聞いた僕は声を上げる。もし腹痛が異所性子宮内膜症のせいだとすると、気胸と血を吐いたのも……。

「いまごろ気づいたのかよ」

鷹央は横目で僕を見ながら、わざとらしく大きなため息をつく。

「そう、月経随伴性気胸だ。子宮内膜の組織が横隔膜や肺の表面に生じて、月経時それが脱落することで穴が空き、そこから空気がもれて気胸になる。その際に喀血が生じることもある。場所によっては画像検査でなかなか診断がつかないことも多い。特に腹膜や胸膜、肺などに生じた場合はな。お前の場合もそうだろう」

口を半開きにしている秋恵の目を、鷹央はのぞき込んだ。

「子宮内膜症や月経随伴性気胸の治療法の一つに、低用量ピルによるホルモン内服療法がある。生理自体を止めて、症状が生じないようにするんだ。もともと生理痛がひどかったお前は、偶然それを行っていたんだ。けれど、結婚を意識する相手が現れてピルの内服を止めたら、生理のたびに症状が生じるようになった。お前はそれを昔死んだ恋人が結婚に反対して起こしていると思い込んでしまった。お前の体に起きたことは『呪い』なんかじゃない、れっきとした治療可能な『疾患』だ」

「治るん……ですか？」秋恵は目を大きく見開く。

「ああ。外科的手術で子宮内膜組織を除去できれば完治するし、お前が知らずにやっていたようにホルモン剤による治療もある。まあ出産を望んでいるんだから、外科的治療の方が適しているだろうな。病院に戻ったら外科と婦人科に紹介する。そいつらと今後の治療について相談すればいい」

秋恵は鷹央の声が聞こえていないかのように固まっていた。呪いの正体をあまりにも鮮やかに解き明かされ、頭がついていかないのだろう。

「お？　いつの間にか消えているな」

鷹央が僕の背後に視線を向ける。振り返ると、ついさっきまでそこに立っていたはずの阿麻音の姿が消えていた。次の瞬間、廊下の先から扉が閉まる音が聞こえてくる。鷹央が呪いの謎を解き明かし、僕と秋恵がその説明に意識を集中している隙《すき》をついて玄関へと向かったのだろう。一瞬、あとを追おうかと足を出しかけるが、すぐに思い直す。阿麻音は金を取ったわけでもない。追いかけてもしかたがない。

玄関の方を見ていた僕が向き直ると、目に涙を浮かべた秋恵が、ふらふらと壁に掛けられたコルクボードへと近づいていた。コルクボードに貼られた古ぼけた写真に手を伸ばした秋恵は、嗚咽《おえつ》まじりにつぶやく。

「ごめんなさい。あなたを疑って……。本当にごめんなさい……」

「お前は十分に苦しんだだろ。その男も赦してくれるはずだ。もう過去にとらわれるのはやめて、未来を見て歩き出してもいいんじゃないか」

鷹央の言葉に、秋恵は大粒の涙をこぼしながら、ゆっくりとうなずいた。

＊＊＊

「そういえば秋恵さんの手術、うまくいったみたいですね」

電子カルテの画面を眺めながら、僕は部屋の奥にいる鷹央に向かって話しかける。

外来開始まで十五分ほどの統括診断部外来診察室。僕は今日受診する患者の紹介状を画面に出していく。

二週間ほど前、鷹央により異所性子宮内膜症の診断が下された秋恵は、腹腔内と肺の表面に発見された子宮内膜組織の除去手術を受けていた。手術は問題なく成功し、あと数日で退院の予定らしい。

「昨日、病室に会いに行ってきたんですけど、退院したら恋人と結婚するつもりらしいですよ。先生にすごく感謝していて、退院前に挨拶に来たいって言ってましたよ」

僕は画面を見たまま言葉を続ける。しかし返事はなかった。どうしたのかと思い振り返ると、鷹央は椅子の上に体育座りになり、目を刃物のように細めて自分の手元をにらみつけていた。

頭の中で警報が鳴る。こういう態度をとるとき、鷹央は極めて機嫌が悪い。

「あん？　なんだって」手元から視線を上げた鷹央は、僕に剣呑《けんのん》な視線をぶつけてきた。

「あ、いえ……。えっと、なにを見てるんですか？」

「……手紙だ。今朝、病院の受付に置いていかれたらしい」

鷹央は手に持った紙を、デスクの上に放る。

「手紙？　誰からのですか？」僕は手紙を手にとる。そこに記された文字に視線を落とした瞬間、眉間にしわが寄った。

『前略　あなたの想《おも》い人《びと》は案外浮気性ですね　今は私に夢中みたいです　かしこ』

便箋《びんせん》には一行そう書いてあり、『杠阿麻音』と流麗な文字で署名がされていた。

「これって、あの詐欺師からの？　けど、『想い人』ってなんのことですか？」

僕がたずねると、鷹央は唇を尖《とが》らせながら白衣のポケットから一枚の写真をとりだし、投げつけるように僕に押しつけてくる。手にとった写真を眺めた僕は、二、三度まばたきをしたあと思わず吹き出しかけてしまう。

「これは一本とられましたね」

鷹央は「ふん」とつまらなそうに鼻を鳴らすと、そっぽを向いた。

写真には、チワワを抱いている阿麻音が、飼い主らしき中年女性と並んで写っていた。チワワは嬉《うれ》しそうに阿麻音の顔を舐めている。その犬には見覚えがあった。鷹央が阿麻音に『恋愛相談』した、あのチワワだ。

「浮気者は嫌いだ」

鷹央は桃色の唇を尖らすと、分厚い英字の医学書を膝《ひざ》の上で開くのだった。

Karte. 02

ゴミに眠る宝

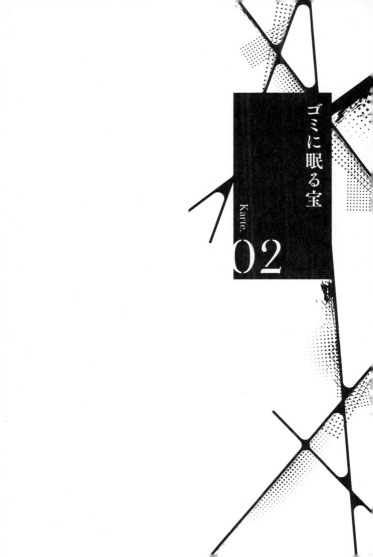

早春の夜風が首元から体温を奪っていく。沼田伸行《ぬまたのぶゆき》はところどころ破れたコートの襟を両手で持ち体を小さくした。五十歳を越えた体に寒さがこたえる。できることならいますぐ家に帰って、こたつで体を温めたかった。しかし、それはできない。

明日はこの地域の燃えないゴミの回収日だ。早朝には回収員がすべて持って行ってしまう。今夜中に町内のゴミ置き場を全《すべ》て回らなくてはならない。

「あと二つ……」

沼田は小声でつぶやく。日付けがかわった頃から三時間近く歩き回っているが、いまだになんの収穫もなかった。残るポイントはあと二ヶ所しかない。そのどちらかに『お宝』がなければ、今日は手ぶらのまま帰ることになる。

腰を丸め小さな歩幅で歩きながら、沼田は路地を曲がる。電柱の脇《わき》にビニールのごみ袋が数個積まれ、その上にカラス避《よ》けのネットが被《かぶ》さっていた。

ゴミ収集所に近づいた沼田はネットをめくると、ゴミ袋の中を凝視する。周囲は薄暗く中身ははっきりとは見えなかった。沼田は両目をごしごしとこする。手の甲にべっとりと目脂《めやに》がこびり付いた。

だめだ！　沼田は大きく舌打ちすると、ネットを元に戻した。なかば予想していたとおり、めぼしい物は見つからなかった。

沼田は再びとぼとぼと人通りのない路地を歩きはじめた。寒さが骨身に染《し》み、上下の歯がカチカチと音を立てる。あと残っているポイントは一ヶ所だけ……。

背後からサイレン音が聞こえてくる。振り返ると、遠くからパトカーが近づいてきていた。沼田は鼻の付け根にしわを寄せ顔を伏せる。この寒い中、職務質問などされたくはなかった。

善良な市民が散歩をしているだけだっていうのに、警察官どもときたらきまって俺を犯罪者のように扱いやがる。沼田は道ばたに痰《たん》を吐き捨てた。

サイレン音が近づいて来る。パトカーは沼田の脇をスピードを出して素通りしていった。テールランプを見送りながら、沼田は安堵《あんど》の息を吐く。

「おどかすんじゃねえよ、ボケが！」

悪態をつくと再び足を進めていく。数分歩くと、古ぼけたアパートの裏手にあるゴミ収集所が見えてきた。ゴミ袋がブロック塀にもたれかかるように積まれている。自宅の最も近くにあるゴミ捨て場だ。最近、沼田はここを最後に回るようにしていた。そうすれば、たどり着くのはほとんどの住民が寝静まった深夜になり、アパートの住人と顔を合わせる確率が低くなる。

先月のことを思いだし、無精髭《ぶしょうひげ》と垢《あか》で覆《おお》われた沼田の顔がぐにゃりと歪《ゆが》む。あそこで『お宝』を探していたら、アパートの一階に住む大学生ぐらいのガキが偉そうに文句つけて来やがった。あの男の蔑《さげす》んだ目つきを思い出すたびに、はらわたが煮えくりかえる。

あの野郎、いつか目にもの見せてやるからな。沼田は再び道端に痰を吐くと、ゴミ袋の山の前に立った。

「お？　おおおお……」

無意識に喉《のど》から声がもれ出した。積み重なったゴミ袋の上、そこに『お宝』が置かれていた。沼田はせわしなく周囲を見回すと、ゴミ袋の山に倒れ込むようにして『お宝』に飛びついた。腕の中にある柔らかい感触に唇の両端が吊《つ》り上がっていく。

顔を上げた沼田は、すぐ目の前の曲がり角から赤い光が漏れていることに気づいた。笑顔が強張《こわば》る。さっきのパトカーだ。あいつら、きっと俺からこの『お宝』を奪うつもりで待ち伏せしてやがったんだ。

とられてたまるか。これは俺のもんだ。絶対に誰にも渡さねえ。

沼田はボールを受け取ったラグビー選手のように両手で『お宝』を抱きかかえると、小走りで駆けはじめた。体の中から湧《わ》き上がる熱が、ついさっきまで感じていた寒さを消し去っていった。

1

「ゴミ、捨ててきましたよ」

「おう、ご苦労さん」

扉を開けて室内に入ると、若草色の手術着の上下を着てパソコンの前に座っている鷹央《たかお》は、こちらを見ることもせず片手を上げた。

「ゴミ出しくらい自分で行ってくださいよね。しかもあんなにため込んで」

十五分前、いつものように屋上にある〝家〟の扉を開けるやいなや、鷹央は「小鳥《ことり》。そこにあるゴミ、出しに行ってくれ」と言い出した。かくして、僕は両手に二袋ずつ計四袋のゴミ袋を持って、病院裏のゴミ収集所まで行くはめになっていた。一日の出鼻をくじかれた気分だ。

「あ、小鳥。台所にあと四つゴミ袋があるから、あとでそれも出しておいてくれ」

「いくつため込んでいるんですか。ゴミ屋敷ですか、ここは」

「ゴミ屋敷⁉　失礼なこと言うなよ。この家のどこがゴミ屋敷だって言うんだ⁉」

鷹央は椅子《いす》ごと僕に向き直る。

「どこがって……、見ようによっては普通にゴミ屋敷じゃないですか、ここ」

僕は薄暗い室内を見回す。鷹央がこの天医会総合病院の理事長の娘という立場を最大限にいかして、病院の屋上に立てたこの〝家〟。童話に出てきそうなファンシーな外見とは対照的に、その室内には積み上げられた本が樹木のようにいたるところに生えていて、薄気味悪い『本の森』と化している。部屋の中心にあるグランドピアノの上に積まれた〝本の樹《き》〟など、天井にまで届きそうだ。

「何言っているんだ！　これはゴミじゃない、本だ。本は知識の宝庫だぞ。だからここはゴミ屋敷どころか『宝の家』だ！」

「はいはい。先生がそう思っているなら、それでいいですけどね。でも、もうちょっと整理とかしたらどうです」

「ちゃんと整理しているぞ！　医学書、理系学術書、文系学術書、娯楽作品の四つにわけて、さらに日本語、英文、その他の言語で細分化して場所を決めて……」

「分かりました分かりました」

たしかに、鷹央はどこに何の本が置かれているか把握しているっぽい。鷹央の中ではこれでも整理してあるつもりなんだろう。

「まあ、本はしかたないとして。ゴミ捨てぐらいは今度から自分でやってくださいよ」

「いいじゃないか。ゴミ捨ては下僕の仕事だろ」

「誰が下僕ですか！　僕は部下ですけど、下僕なんかになった覚えはありません」

「似たようなもんじゃね？」

「断じて違います！」

この人、僕をそんな目で見ていたのかよ。

鷹央は不思議そうに首をかしげると、「ま、いっか。とりあえずゴミよろしくな」とつぶやき、再びパソコンを操作しはじめる。どうやらメールを読んでいるらしい。なんとなく嫌な予感がして、僕は眉根《まゆね》を寄せた。

鷹央がその膨大な知識と超人的な知能を駆使して、色々とおかしな事件を解決しているという噂《うわさ》が口コミで広がっているらしく、最近、統括診断部のホームページにメールで調査依頼がたびたび舞い込むようになってきている。その多くは浮気調査や迷い犬の捜索など、統括診断部を探偵事務所かなにかと勘違いしたような内容なのだが、ごくまれに鷹央の無限の好奇心を刺激してしまうような依頼が舞い込むことがある。そんな依頼をみつけると、鷹央はきまって嬉々《きき》として首を突っ込み、そのついでに僕まで巻き込まれるのだ。これはさっさと退散したほうがよさそうだ。

「それじゃあ、そろそろ救急部行ってきますね」

僕は腕時計に視線を落としながら言う。時刻は午前八時四十五分。あと十五分で救急部の引き継ぎ時間だ。

鷹央の命令で金曜日は丸一日、救急部に『レンタル猫の手』として派遣され、午前九時から午後六時まで救急業務にあたることになっている。

「ああ、今日は金曜だったな。それじゃあ頑張ってこい。あ、そうだ。小鳥、今日は救急の仕事終わったあとひまか？」

鷹央は椅子を大きくリクライニングさせ、さらに首を思いきり反らして後ろにいる僕を見る。どこか楽しげな鷹央の態度に顔が引きつった。こういうときの鷹央は、なにか良くないことを企《たくら》んでいると相場が決まっている。

「いえ、今日は予定があります」僕ははっきりと言う。

「はあ。小鳥に予定？　金曜の夜に？　なんで？」鷹央はもともと大きい目を見開いた。

「なんでってことないでしょ。僕が金曜の夜に予定入れていたらおかしいですか」

「おかしいに決まっているだろ。お前、あれだぞ。家でカップ酒飲みながらＤＶＤ見たりするのは、『予定』って言わないんだぞ」

鷹央は椅子の上で器用に体を回転させると、白衣が掛けられた背もたれに両手をかけた。

どうしてカップ酒なんだ？

「そんなことしません。今日は飲み会が入っているんです」

「飲み会？　女か？　女となのか？」

鷹央はよく高校生、ときには中学生に間違われることもある童顔に好奇心を浮かべると、身を乗り出してくる。

「……なんでそんなこと言わないといけないんですか」

「いや、上司として部下の恋愛状況ぐらい把握しておいた方がいいだろ。ほら、なんだ……もし将来、結婚式でスピーチをすることになった場合とか考えて」

嘘《うそ》だ。絶対にたんなる野次馬根性から訊《き》いているだけだ。それにもし僕が結婚することになっても、間違っても鷹央にだけはスピーチなんて頼まない。どんな恐ろしい個人情報を暴露されるかわかったもんじゃない。

「べつに女性と一対一で飲むわけじゃないですよ」

「なんだ、男同士のむさ苦しい飲み会かよ。つまんね。まあ、小鳥にはそういうのがお似合いか」とたんに顔をしかめた鷹央は、吐き捨てるように言う。

「男同士じゃありません」

鷹央の言い草がなんとなく癪《しゃく》に障《さわ》ったので、思わず反論してしまう。

「ってことは女も来るのか？　どんな女だ？」

「いや、よく知りませんけど」

「よく知らない女が来る飲み会……」

腕を組んでうつむいた鷹央は、急にばっと顔を上げた。

「それはもしかして、合同コンパ、略して合コンっていうやつか！」

「ええ、まあそんな感じですけど……」

鷹央の予想外の食いつきに、僕は思わずのけぞってしまう。

「合コンって言うと、うまい酒飲みながら綺麗《きれい》な姉ちゃんといちゃいちゃして、最終的には王様ゲームとかできるってやつか」

「それは、たぶん大きな勘違いが……」

どんな想像をしているんだ？　そして、なんでこの人、男目線なんだ。

「ずるいぞ！」とうとう鷹央は椅子から立ち上がった。「私も参加したい。なんで小鳥だけそんな楽しそうなことに参加できるんだ。不公平だ！」

「そう言われても……」

「その合コンを主催しているのは誰なんだ？」

「え、主催者ですか？　鴻ノ池《こうのいけ》ですよ。研修医の」

先週、「小鳥先生、来週の金曜の夜、空けといてくださいね。この前頼まれた合コン、ちゃんと組んであげましたから」と声をかけられたのだ。話によると、高校時代の同級生を集めてくれたらしい。

「ああ、舞《まい》が主催なのか」

鷹央は着ている手術着のポケットからスマートフォンを取りだして、どこかに電話をかける。小声でごにょごにょと通話をはじめた鷹央は、数十秒後、満足げにうなずきながらスマートフォンをポケットに戻した。

「小鳥、喜べ。今夜、お前はひまになったぞ」

「はぁ⁉　え？　どういうことです？」

「いま舞に電話をして、『今夜は私が小鳥を使いたいけど、いいか？』って訊いたら、『どうぞどうぞご自由に使って下さい。ほかの面子《メンツ》探しますから』って言っていた」

あいつ、いとも簡単に先輩を売りやがった……。

「そんな、先週からずっと楽しみにしてきたイベントだったのに……」

呆然《ぼうぜん》と立ち尽くす僕の前で、鷹央はにやりと笑みを浮かべる。

「そう気を落とすな。面白そうな『謎《なぞ》』がやってくるかもしれないんだ。これ以上の『楽しいイベント』なんてないぞ」

2

「『ゴミ屋敷』ですか？」僕は首をひねりながら聞き返す。

救急部の勤務が終わった午後六時半。僕は天医会総合病院の十階にある統括診断部の外来診察室で、鷹央とともに一人の女性の話を聞いていた。

「本当にひどい状態なんです。臭いし危ないしで、近所で問題になっているんですよ」

堺佐恵子《さかいさえこ》という名の女性は、肉付きのいい顔を少し紅潮させる。僕の正面に座るこの中年女性こそ、鷹央の『依頼者』だった。数十秒前、この部屋に通された堺は巨大な臀部《でんぶ》を椅子にのせるなり、「ゴミ屋敷なんです！」と切り出したのだ。

「あの、そういう相談は僕たちではちょっと。役所とかに相談した方が……」

「役所にはは相談しました。けれどあの人たち、何にもしてくれないんですよ。法律上、私有地に手は出せないとかなんとか言っちゃって。文字通りお役所仕事。まったく、何のために高い税金払っていると思っているのよ」

顔をさらに紅潮させていく堺の迫力にのけぞりながら、僕は後ろに座る鷹央をうかがった。手術着の上にサイズの合っていないだぶだぶの白衣を纏《まと》った鷹央は、両腕を組み目を閉じていた。一見すると寝ているように見えるが、これが鷹央が集中して話を聞くときのスタイルだ。

やっぱり僕が話を聞き出さないといけないのか。本当ならいまごろ、いそいそと合コンに向かっているはずなのに……。ため息が漏れる。

「あの、役所はたしかに頼りにならないかもしれませんけど、僕たちもゴミ屋敷を片付けさせるとか、そういうことは完全に専門外でして……」

　鷹央はいったいなぜ、この女性の話を聞こうと思ったのだろう。『ゴミ屋敷』の相談などに鷹央の好奇心が反応するとは思えなかった。

「ああ、違います違います。べつにそのゴミ屋敷をどうにかして欲しいとかじゃなくて、ほかの件でご相談に上がったんです」堺は顔の前でぱたぱたと手を振る。

「ほかの件？」

　それじゃあ、いままでの『ゴミ屋敷』の話は何だったんだ？

「そうです。実はですね……」堺はきょろきょろと周囲を見回すと、声をひそめて言う。「殺人事件なんです」

「殺人⁉」思わず声が跳ね上がってしまった。

　唖然《あぜん》とする僕を、堺は不思議そうに眺める。

「ご存じなかったんですか？　ちゃんとメールで『殺人事件の件でご相談がある』って書いておきましたけど」

　僕は振り返り、目を閉じたままの鷹央を軽くにらむ。朝から何度も「どんな相談なんですか？」と訊《たず》ねたが、そのたびにはぐらかされていた。鷹央が興味を持つぐらいだから、どうせおかしな事件だろうとは思っていたが、まさか殺人事件なんて……。

　非難の視線を浴びていることに気づいたのか鷹央は薄目を開けると、「驚いただろう」とでもいうように唇の片端を上げた。

「えっとですね。殺人事件ならなおのこと、なんでこちらに相談しようと思ったんですか？　警察に行った方がいいと思うんですが」気を取り直した僕は堺に向き直る。

「もちろん警察には言いましたよ。まっさきに。けれどあの人たち、『それくらいの証拠では捜査は難しい』とか、完全にお役所仕事で全然役に立たないんです。まったく、何のために高い税金を……」

それはさっき聞いた。

「あの、すみません。最初から詳しくお話しして頂いてもよろしいですか。ちょっと状況がつかめないもので」

僕が言うと、ぶつぶつと警察に対する文句を言っていた堺は、「あら、すみません。ちょっと興奮しちゃって」と居ずまいを正した。

「私はここの近くで、小さなアパートの大家と管理人をやっています。築十五年くらいのアパートなんですけど、私がちゃんと管理しているんで綺麗なんですよ。家賃も良心的にしているから、二年前までずっと満室だったんです」

「はぁ、なるほど……」僕は曖昧《あいまい》に相槌《あいづち》を打つ。

「けれど、二年前から空室率が高くなったんですよ。その原因が『ゴミ屋敷』。アパートの近くに住んでいる沼田って男が、家にゴミをため込みはじめたんです。ゴミはどんどん溜《た》まっていって、もう敷地から溢《あふ》れ出しそうなくらいになっているんです」

ああ、そういう家、時々テレビで見るな。

「悪臭がひどいし、ネズミがいたりハエとかも湧いて不衛生だしで、本当に迷惑しているんです。町内会でゴミを片付けるように頼んでみたんですけど、その沼田って男は家に行った私たちを怒鳴りつけたうえ、バケツで水をかけて追い返したりしたんですよ。ああ、本当に腹が立つ！」

「あの、落ち着いて下さい。それで殺人事件の話っていうのは？　いったい誰が誰を殺したんですか？」

苛立《いらだ》たしげに舌打ちする堺を落ち着かせながら、僕は本題をうながす。このままでは、延々とそのゴミ屋敷についての文句を聞かされかねない。

「だから、その沼田が殺したんですよ。市ノ瀬《いちのせ》君を」

「市ノ瀬君？」はじめて出てきた名前に、僕は首をひねる。

「市ノ瀬君は去年からアパートの一階に住んでいる大学生です。すごくいい子で、いつも元気に挨拶《あいさつ》してくるし、実家に帰ったときはお土産も買ってきてくれるんですよ」

「その人が、ゴミ屋敷の住人に殺されたっていうんですか？」

「そうです！　そうなんですよ！　先週の木曜から姿が見えなくなって、もう一週間以上経《た》つんです。絶対におかしいんですよ！」

興奮した堺はつばを飛ばしながら声を張った。

「けれど、それって、その市ノ瀬さんが旅行に行っているだけとか、そういう可能性はありませんか？」僕は額についたつばを白衣の袖《そで》でそっとぬぐう。

「違います！　市ノ瀬君は今時の若者には珍しくちゃんとした子で、長期間部屋を空けるときは、ちゃんと私に知らせてくるんです。それなのに、今回は何も言わずに消えちゃったんです！　それに、近くの駐車場に停まっている車もそのままだし。市ノ瀬君はいつもどこかに行くときは、その車を使っていたんですよ！」

力説する堺の前で僕は曖昧にうなずく。たんに今回だけ連絡を忘れ、さらにほかの交通手段を使っただけではないのだろうか。

「その市ノ瀬さんがトラブルに巻き込まれたかもしれないってことは分かりました。けれど、どうしてそれがゴミ屋敷の住人による殺人だって思ったんですか？」

「それがね、私見たんですよ。市ノ瀬君がいなくなった日の朝早く家の前を掃除していたら、市ノ瀬君があのゴミ屋敷に入っていくところ」

「朝早くゴミ屋敷に？　なんでそんなことを？」

「沼田に文句を言いにいったんだと思います。市ノ瀬君、すごく正義感の強い子だったから。沼田は以前何度か市ノ瀬君に注意されて、彼のことを恨んでいたんですよ」

「注意って、家にゴミを溜め込んでいることに対してですか？」

「それだけじゃなく、沼田が深夜に徘徊《はいかい》してゴミを漁《あさ》っていることにもです」

「ゴミを漁る？　食べ物を探しているんですか？」

「そうじゃなくて、粗大ゴミとかを漁って、気に入った物を持って帰るんです。なんであんながらくたを集めるのかは分かりませんけどね。ゴミ捨て場が散らかるし、そうじゃなくても、深夜に不審者がゴミを漁っていたら怖いでしょ。だから一ヶ月ぐらい前に、市ノ瀬君が注意したんですよ。そうしたら沼田の奴《やつ》、深夜なのに大声で叫びだして。大変な騒ぎになりました」

「つまり、その市ノ瀬さんがゴミ屋敷に入っていって、それ以来行方不明なんですね。それで、市ノ瀬さんが沼田っていう男に殺されたんじゃないかと疑っていると」

僕がまとめると、堺は重々しく頷《うなず》いた。

なるほど、話の筋は通っていなくもない。けれど、それだけで殺人事件が起こったと決めつけるのは乱暴な気がした。やはり、その市ノ瀬という男が旅行にでも行っているだけなんじゃないのだろうか。

「私、市ノ瀬君がいなくなったのに気づいて、先週末に警察に相談したんです。警察はそれだけじゃ捜査はできない、そのうちに帰ってくるんじゃないかとか言って、なんにもしてくれませんでした。けれど一週間経っても帰ってこなくて。どうしたらいいか分からなくなったとき、こちらのことを思いだしたんです。この病院の統括なんとかっていう科なら、どんな事件でも解決してくれるって」

「あの、それはちょっと誤解が……」

あまりおかしな噂が広がると、鷹央の好奇心を掻《か》き立てる依頼が頻繁に舞い込んでくる事態になりかねない。それだけはどうしても避けたかった。

それで、鷹央はこの依頼を受けるのだろうか？　もし受けるとしたら、この週末、鷹央に付き合わされることになるかもしれない。合コンの予定をキャンセルされたうえ、週末まで潰《つぶ》されたくはなかった。

僕は振り返って鷹央の反応をうかがう。鷹央の瞳《ひとみ》がゆっくりと開いていく。それと同時にその唇の両端が上がっていった。心から楽しげな鷹央の表情を見て、僕は大切な週末が消えたことを確信する。

鷹央は立ち上がると、手術着に包まれた胸を張った。

「明日はゴミ屋敷探検だ！」

3

堺の相談を受けた翌日の昼過ぎ、勢いよく手を前後に振りながら歩くセーターにジーンズ姿の鷹央の背中を見ながら、僕はとぼとぼと歩いていた。

「なに遭難した登山者みたいな足取りで歩いているんだ。もっとはきはき歩けよ」

首だけ振り返った鷹央が張りのある声で言う。

「分かりましたから前見て歩いて下さい。電柱にぶつかりますよ」

せっかくの土曜日だというのに、ゴミ屋敷探検に付き合わされるのだ。元気など出ようはずもない。しかも今朝、鴻ノ池から『昨日はすごく盛り上がりましたよ～　小鳥先生こられなくて残念　すごく可愛《かわい》い子ばっかりだったのになぁ　鷹央先生によろしく～　鴻ノ池より』という、さらに気分を落ち込ませるメールが送られてきていたりする。

「なんだよ、殺人事件だぞ！　殺人事件！　めったに捜査できるようなものじゃないぞ。テンション上がるだろ」

「上がりませんよ。だから前見て歩いてください」

僕にとっては合コンの方が遥《はる》かにテンションを上げてくれる。

「殺人事件でテンションが上がらない？　変わった奴だな」

鷹央は首をひねった。自分の知る限り、最も『変わった人』に変人扱いされ、さらにテンションが落ちていく。

「普通は殺人事件なんて関わり合いたくないものなんです。第一、今回の件は堺さんが騒ぎ立てているだけで、殺人なんてなかった可能性が高いじゃないですか。その市ノ瀬って人、放っておけばそのうちひょっこり帰ってきますよ。あと、まじで前見て歩いてくださいって」

「まあ、そうかもしれないけどな。でも殺人の可能性が消えたってわけじゃない。だからこそ、この私が調べてやろうって言っているんだ。警察が調べない殺人事件の捜査は国民の義務だろ」

「やだよ、そんな国。って危ない！」

「えっ？」

僕の警告でようやく前を向いた瞬間、鷹央は額を勢いよく電柱にぶつけた。ゴンッという鈍い音が響く。言わんこっちゃない。

「大丈夫ですか？」

僕が駆けよると、鷹央は少し赤くなった額を撫《な》でながら、つまらなそうに「大丈夫だよ」とつぶやく。

「……それで、目的地はまだなのか？」

うって変わって平板な声で鷹央は訊ねてくる。頭を打ったことでテンションが下がったらしい。僕はポケットから今朝プリントアウトしてきた地図を取り出した。今日は病院で鷹央を拾ったあと、愛車のＲＸ－８でこの近くのコインパーキングまでやってきて、そこから徒歩で堺の家に向かっていた。

「あと少しですね。そこの角を曲がったところみたいです」

「そうか、それじゃあ行くぞ」

鷹央に続いて角を曲がると、数十メートル先に古びた二階建てのアパートが見えた。

「あれがそうか？」

「ええ、あれが堺さんのアパートですね。堺さんが住んでいる家はその手前の一軒家らしいです」

余っている土地にアパートを建てて、家賃収入を得ているといったところだろう。

「ということは、あれが噂の『ゴミ屋敷』だな」

鷹央はアパートよりさらに数十メートル奥にある一軒家を指さす。そこに視線を送った僕は顔をしかめた。遠目にもその家は異彩を放っていた。ブロック塀の上部からは様々なガラクタが見える。開いた門からもゴミ袋がいくつもはみ出していた。この距離ですでに近づき難い雰囲気をかもし出している。

あとで、あそこに突入するかもしれないのか……。気が重くなってくる。

とりあえず僕たちは堺の家へと向かった。扉の前についた僕はインターホンを押す。

『……誰だよ』

すぐにインターホンからくぐもった男の声が響いた。あまりにも非友好的なその口調に戸惑ってしまう。

「あの、私たち天医会総合病院から参った者なんですが……」

『病院？　なんで病院の奴らがうちに来るんだよ？　べつに俺は病気なんかじゃねえぞ』

「いえ、その、堺さんに呼ばれて……」

僕が戸惑いながらそう口にした瞬間、インターホンの奥から『何やってるのよ！　勝手に出ないでよ！』という金切り声が響き、回線が切れた。数十秒後、玄関の扉が開き、堺が顔を出した。

「すみません、わざわざ来ていただいて」

堺が愛想良く言うと、家の中から「誰が来てんだよ？」という声が聞こえてきた。

「誰だっていいでしょ。あんたには関係ないから引っ込んでてよ！」

笑顔を一瞬にして般若《はんにゃ》のような表情へと変えた堺は、家の中に向かって怒声を放つ。その豹変《ひょうへん》に唖然《あ》としていると、家の中から「何だと、この野郎！」という叫びが返ってきた。堺は悪し様《ざま》に舌打ちして、玄関の扉を乱暴に閉じる。

「あ、失礼しました。今日は土曜なんで馬鹿《ばか》亭主が家にいるんですよ。本当に邪魔ったらありゃしない」

「あの、大丈夫ですか……？　僕たちとお話ししていて」僕はおずおずと訊ねる。

「ああ、気にしないで下さい。これくらいのケンカ、いつものことなんです。先週なんて、深夜に食器を投げ合って怒鳴り合っていたら、ご近所に警察呼ばれちゃって」

堺はなぜか自慢げにあごを反らす。僕は「はぁ」と気の抜けた返事をすることしかできなかった。

「で、そこが『被害者』が住んでいたアパートなのか？」

鷹央が僕を押しのけて前に出ると、隣のアパートを指さした。早く調査をはじめたくてうずうずしているらしい。

「ええ、そうです。ご案内しますね」

堺はサンダルをぱたぱたと鳴らしながら、僕たちを先導して歩き始める。

「そこにはもともと古い家が建っていて、旦那《だんな》の両親が住んでいたんです。けれど二人とも結構早く亡《な》くなっちゃったから、生命保険でそこにアパートを建てたんですよ。旦那の給料だけじゃ生活苦しいんで」

ブロック塀に囲まれたそれほど広くない土地に、そのアパートは建っていた。二階建てで、一階二階ともに五つずつ扉が並んでいる。

「十部屋あるんですけど、今は六部屋しか埋まっていないんですよ。一階が二部屋に、二階が四部屋ですね」

「市ノ瀬って奴の部屋はどこなんだ？」鷹央が興奮気味に言う。

「一階の真ん中の部屋です」

堺が指さした扉の郵便受けには、大量のチラシや郵便物が詰め込まれていた。

「あの部屋の裏手がゴミ収集所になっているんだったな。そして、そこに来た『ゴミ屋敷』の住人とトラブルになったたってわけだ」

「そうなんですよ。一ヶ月ぐらい前に、あの男がゴミを漁っている音に気づいて、市ノ瀬君が注意してくれたんです。そうしたらあの男、私の家に聞こえるぐらい大声で叫び出して。私たちが出て行って『警察呼ぶわよ』って言ったら、ぶつぶつ言いながら帰って行きましたけど。ああ、あの時にちゃんと通報していたら、市ノ瀬君は殺されずにすんでいたかもしれないのに……」

堺は唇を嚙《か》むと悲しげに首を左右に振る。どうやら堺の中では、市ノ瀬という青年はすでに殺されたことになっているらしい。

「それじゃあとりあえず、『ゴミ屋敷』の主人に話を聞いてみるか」

「え、直接話をするんですか？」僕は目をしばたたかせた。

「当たり前だろ。容疑者がいるんだから、まずはそいつに話を聞くのが捜査のプロっていうものだ」

いつから僕たちは『捜査のプロ』になったんだろう？

意気揚々と歩きはじめた鷹央のあとを、僕はため息混じりに追おうとする。しかし、隣の堺は動くことなく立ち尽くしていた。

「どうかしましたか？」

「あの男に……会うんですか？」堺は首をすくめるようにして小声で言う。

「ええ、どうやらそうみたいですね」

「何やってんだ、早く行くぞ」

僕たちがついてきていないことに気づいた鷹央が、小走りで戻ってくる。

「あの、すみませんけど……、私は遠慮させていただけないでしょうか？」

「え、どうかしたんですか？」僕が訊ねると、堺はうつむく。

「勝手なこと言って申し訳ないんですけど、あの男と顔を合わせたくないんです。あの男、何をやりだすか分からないから。顔見知りだけに、目をつけられると危害を加えられるんじゃないかと怖くて……」

そんな男を押しつけないで欲しいんだけど……。

「昔からその沼田って男はおかしな奴だったのか？　いつ頃からあそこは『ゴミ屋敷』になったんだ？」体を縮こめる堺に鷹央が訊ねた。

「二年ぐらい前からだと思います」

「二年前にその沼田って男が越してきたってことか？」

「いえ、越してきたのはたしか四年ぐらい前ですね。ただその頃は無愛想でしたけど、そこまでおかしくはなっていませんでした。家族もいましたしね」

「家族がいたんですか？」予想外のことに僕は聞き返す。

「ええ、奥さんと娘さんが」

「その家族はいまもいるのか？」

「いいえ、ちょうどあの家にゴミが溜まりはじめた頃に見なくなりました。噂では、おかしくなったあの男に愛想を尽かして離婚したとか……。私も詳しくは知りませんけど。けれど私、あの男が越してきた頃からちょっと怪しいとは思っていたんですよ。職業を訊いたら『芸術家』とか言っちゃって」

自称『芸術家』か。たしかに少し怪しいかもしれない。

「まあ詳しいことは本人に聞くとするか……。ああ、私と小鳥だけで行くから無理についてこなくていいぞ」

鷹央がうなずくと、堺はおずおずと頭を下げる。

「気をつけてくださいね、本当に危ない男なんです。噂じゃ、ヤクザと繋《つな》がっているとか」

意気揚々と『ゴミ屋敷』に向かおうとした鷹央に、堺が不安げに声をかける。

「あの、ヤクザって、どういうことですか？」新しく出てきた情報に顔が引きつる。

「いえ、それがですね。これも近所の噂なんですが、あの沼田って男、実はヤクザで、覚醒剤《かくせいざい》とかそういうのを使っているんじゃないかって」

「覚醒剤ぃ⁉」思わず甲高い声を出してしまう。

「はい、そうなんです。なんか何ヶ月か前から、この周辺で覚醒剤とかが売られているらしいんです」

「それも噂ですか？」

連続して出てくる『噂』の信憑性《しんぴょうせい》に、僕はかなり不安をおぼえはじめる。

「いえ、これは噂なんかじゃありません。最近、近所の人たちが警察に覚醒剤についての話を訊かれているんですよ。このあたりで密売されているらしいんです。だから沼田がおかしくなったのは、売っていた覚醒剤を自分で使いはじめたからじゃないかって。そして、いまもあのゴミの中に覚醒剤を隠して売っているんじゃないかって」

「はぁ、なるほど……」

僕はぽりぽりとこめかみを掻く。もう何が何だか分からない。たしかに覚醒剤を長期に使用すると、幻覚や妄想などが生じることがある。しかし、だからって『ゴミ屋敷』と覚醒剤の密売を繋げるのはちょっと強引過ぎじゃないだろうか。

「そういうことなんで、気をつけた方がいいですよ。いきなり襲いかかってくるとか、ありうるかもしれませんから」

もう完全に他人事《ひとごと》といった感じで堺はアドバイスをしてくる。

「大丈夫だ。いざとなったら、こいつがボディガードになってくれるから。これでも空手三段なんだぞ」

「そうなんですか⁉　それなら安心ですね」

僕の背中をばしばし叩《たた》きながら言う鷹央の言葉を聞いて、堺が笑みを浮かべる。

そんなに僕の空手に期待されても困るのだが……。

「それじゃあ、気を取り直して行くぞ」

拳《こぶし》を突き上げる鷹央のとなりで、僕は肩を落とすのだった。


「うっ……⁉」鷹央とともに『ゴミ屋敷』に近づいていった僕は、思わず片手で鼻を押さえた。大量の漬け物を袋に詰め、そのまま温室に放置しておいたかのような悪臭がただよってきている。その発生源は明らかに目的地である『ゴミ屋敷』だ。

『ゴミ屋敷』の前に到着する頃には、あまりの刺激に涙まで浮かんできた。僕は目をこすりながら門の奥にある家を観察する。

そこは『ゴミ屋敷』というより、『ゴミの山』といった様相を呈していた。家の造り自体は小さな庭のある二階建ての一軒家というごく普通のものだが、門の奥に見える玄関前や庭はガラクタで埋め尽くされている。僕は鼻を押さえながら敷地内に置かれている物を観察する。テレビやＤＶＤプレーヤー、冷蔵庫などの家電製品、椅子、テーブル、タンスなどの家具、そしてゴミ袋に詰め込まれたペットボトルや空き缶などが所狭しと、うずたかく積まれていた。一応、門から玄関までは人が通れるぐらいの道は開いているが、その両脇には人の背丈ほどのゴミの壁がそびえ立っている。

「どうした、小鳥？　鼻なんか押さえて」

「どうしたって、臭くないんですか？」

「臭い？」鷹央は小首をかしげると、低い鼻をくんくんと動かす。「ああ、たしかに少し変な匂《にお》いがするな」

「少し⁉」

そういえばこの人、視力や聴力が敏感なかわりに、鼻がかなり鈍かったっけ……。

「しかし、これは見事にため込んだものだな。ここまで本格的な『ゴミ屋敷』を見たのは初めてだ」鷹央はなぜか楽しげに身を乗り出してガラクタの山を眺めた。

「このゴミって撤去とかできないんですかね」

「強制的に撤去するのは難しいらしいぞ。あくまで自分の敷地内だしな。それに、ここにあるようなゴミも、法律上は個人の所有物として判断されるはずだ。個人の財産を強制的に処分するのは、民主主義国家ではなかなか難しいだろうな」

「けれどこんな状態じゃあ、病原菌を持つような生物だって繁殖しかねませんよ。何の目的でこんなにゴミをため込んでいるんでしょうね」

「家をこういう状態にする住民は、精神疾患を患《わずら》っていることが多い。一番多いのは強迫神経症だ。物を捨てるということに対する恐怖が強く、ため込んでしまうんだ」

「強迫神経症ですか。やっかいですね」

「ああ、これはかなりつらいぞ。本人はゴミをため込むことが異常だと分かっているのに、恐怖が強すぎてどうしようもないんだからな」

「けれど、神経症なら治療できますよね」

「たしかに症状に合わせて認知療法とか薬物療法などを使って治療はできる。ただ、ゴミをため込む奴ら全員が神経症ってわけじゃない。ほかの精神疾患や認知症でも、似たような症状が起きることはある。もちろん覚醒剤精神病でもな」

説明しながら鷹央はインターホンに手を伸ばす。僕は慌《あわ》てて横からその腕をつかんだ。

「何すんだよ？」鷹央が剣呑《けんのん》な視線を浴びせかけてきた。

「いや、本当にここの住人と会うつもりですか？」

「当たり前だろ、何しに来たと思っているんだよ」

「いや、僕はただ強引に連れて来られただけで……」

「せっかくここまで来たのに、話も聞かないで帰れるわけがないだろ」

鷹央は僕につかまれていない方の手で素早くインターホンを押した。ピンポーンという軽い音が響く。ああ、やっぱりこうなるのか。

「ここの住人が怒って襲いかかって来たら、ちゃんと盾になれよ」

「盾って……。そもそも怒らせるようなことしないでください！」

「前向きに善処する」鷹央は鼻を鳴らしながら言う。

……この人、間違いなく『善処』するつもりなんてない。僕は覚悟を決めて玄関扉が開くのを待つ。しかし、何十秒待っても扉はピクリとも動かなかった。

鷹央は唇を尖《とが》らすと、今度は連続してインターホンを鳴らす。チャイム音がこだまのように響きわたり続けるが、やはり扉は開かなかった。

「……どうやら留守みたいですね。また出直しましょうよ」

僕が小さく安堵《あんど》の息を吐くと、鷹央は唐突に門を開け敷地の中に入っていった。

「ちょ⁉　それはまずいですよ」

僕が止めるのも聞かず鷹央は玄関扉の前に立つと、扉に拳を振り下ろした。

「いるんだろ。出て来いよ。ちょっと話を聞きたいだけだ」

リズミカルに扉を叩きながら、鷹央は声を張り上げる。

「だから、まずいですって。他人の敷地に勝手に入ったら。下手したら通報されますよ」

僕はあわてて鷹央の腕をつかむ。

「しかたがないだろ。インターホンじゃ出て来ないんだから。痛いから手を放せよ、この馬鹿力」

「本当に留守かもしれないじゃ……」

そこまで言ったところで、扉がゆっくりと開きはじめた。僕は鷹央の腕をつかんだまま硬直する。

「……誰だ」

扉の隙間《すきま》から男が顔を出す。汚れの目立つ野球帽を目深《まぶか》にかぶった男だった。皮膚は風呂《ふろ》に入っていないのか、黒く変色している。

男は扉を大きく開けると帽子のつばを少し持ち上げ、にらみつけるような視線を浴びせかけてくる。その背中は大きく曲がり、声は痰《たん》でもからんでいるかのように聞き取りにくかった。堺の話ではまだ中年と言うことだったが、一見したところ、その姿は老人のように見えた。

「お前が沼田か？」男の異様な風体にまったく臆《おく》することなく鷹央が訊ねる。

「……だったらなんだ」

沼田のかすれ声には明らかな敵意が滲《にじ》んでいた。

「ちょっと話がしたいんだ。できれば家に上げてくれ」

「……ふざけんな」

沼田は小声で悪態をつくと、扉を閉めようとする。しかしその前に、鷹央が扉の隙間に足を突っ込んだ。沼田が鋭い視線を鷹央に浴びせる。

「まあ、とりあえず私の話を聞けよ」

鷹央はこの状況にそぐわない明るい口調で言った。

「何なんだよ、お前。俺に何の用だ」

「私は天久《あめく》鷹央だ。そしてこっちのでかいのは、私の部下で小鳥だ。二人とも医者だ」

「部下？　医者？」

沼田の声に戸惑いの色が混ざる。まあそうだろう。一見すると高校生ぐらいに見える小柄で童顔の鷹央が医者で、しかも僕のような大男の上司だと言われても、すぐに納得できるわけがない。

「医者がなんでうちに来てんだよ。何でもいいからさっさと帰ってくれ」

「いいのか？　私たちは保健所の方から来たんだぞ」

鷹央のセリフを聞いて僕は目を剝《む》いた。保健所？　いったい何を？

「……保健所がなんだっていうんだ？」

沼田の声にかすかな焦《あせ》りがにじみはじめる。

「保健所は公衆衛生を守ることが任務だ。そしてこの家は公衆衛生上の大きな問題になっている」

「……なんだよ問題って。俺は……自分の家に自分の物を置いているだけだ」

「ああ、たしかに自分の敷地を汚すこと自体は法に触れない。けれどな、ここの土地で繁殖した有害生物が敷地の外に出て、病原菌を撒《ま》き散らす可能性がある。感染症の流行を防ぐのは保健所の大切な仕事だ。特に重大な感染症の流行が予想される場合は、感染者への入院勧告や発生源の消毒などが必要になる。意味は分かるな」

立て板に水で鷹央はぺらぺらと喋《しゃべ》りつづける。たしかに保健所には感染症の流行を防ぐ役目がある。しかし、そもそも僕たちは保健所の職員なんかじゃないし、強制力を行使できる感染症は法で厳密に定められている。少なくとも、この家がその発生源となる可能性はほとんどなかった。

「……お前、ここにある物を持っていこうって言うんじゃないだろうな」

鷹央のはったりを真に受けた沼田が声を震わせる。鷹央はにやりと笑うと、「そうならないといいな」とつぶやいた。沼田は歯を食いしばり、憎々しげに鷹央をにらむ。

僕は無言のまま事態の成り行きを見守った。できることなら沼田に鷹央を追い返して欲しかった。そうすれば、このゴミ御殿の内部探索という苦行を行うことなく家路につき、有意義な週末を送ることができる。

一分以上黙り込んだあと、沼田が食べ物の滓《かす》らしきものがこびり付いた口を開く。

「……入れ」

有意義な週末よ、さようなら。

僕は肩を落とすと、勝ち誇った表情を浮かべた鷹央とともに『ゴミ屋敷』の中へと入っていった。玄関に入った瞬間、濃縮された悪臭が襲いかかって来た。その濃度は外の比ではなく、まるで臭気が壁になっているようだった。軽いめまいと吐き気をおぼえ、僕は思わず玄関扉に手をついてバランスをとる。こんなところで話を聞くのか？　はたして話が終わるまで、僕は意識を保っていられるだろうか？

「靴は脱がなくていい……、鍵《かぎ》をかけておけ」

沼田は相変わらずの聞き取りにくい口調で言う。脱げと言われても靴を脱ぐ気などなかった。沼田が立つ廊下にも外と同じようにガラクタやゴミ袋が散乱しているのだ。破けた穴から正体不明な緑色の液体がこぼれだしているゴミ袋さえあった。

玄関の鍵をかけると僕は口呼吸を心がけながら、ゴミとゴミの間にかすかに見える床を踏んで鷹央とともに廊下を進んでいく。

「先生、いいんですか、保健所から来たなんて嘘ついちゃって」

僕は沼田に聞こえないように小声で、すぐ前を歩く鷹央に話しかける。

「嘘なんかついていないぞ。私は『保健所の方』から来たと言っただけだ。『保健所から来た』なんて言っていない。保健所はうちの病院と同じ方角にあるから、嘘をついたことにはならないぞ」鷹央も小声で答える。

「そんな詐欺師《さぎし》みたいな……」

僕が呆《あき》れていると、沼田が廊下の一番奥にある扉を開き中へと入っていった。沼田に続いて僕たちも部屋に入る。八畳ほどの和室。廊下や庭とは違いそこにはガラクタやゴミ袋はなく、ちゃぶ台と敷き布団《ぶとん》、そして電気ストーブだけが置かれていた。ちゃぶ台の上には、食べ終わったコンビニ弁当やカップ麺《めん》などの容器が見える。畳はなにか怪しく変色しているが、臭気は廊下に比べるとかなりましだった。どうやら換気扇が回っているらしい。状況から見るに、沼田は主にこの部屋で生活しているようだ。

沼田は「茶なんか出さねえぞ」とつぶやくと、ちゃぶ台の奥にどっかりと腰を下ろした。僕と鷹央はちゃぶ台をはさんで沼田と正対するような位置に座る。

「それで、何が聞きてえんだよ」

沼田は野球帽を目深にかぶり直すと、吐き捨てるように言った。

「市ノ瀬っていう男を知っているか?」鷹央は単刀直入に本題に切り込む。

野球帽と顔の汚れではっきりしないが、沼田の顔に一瞬動揺が走った気がした。

「……誰だよ、それ」数瞬の間を置いて沼田が言う。

「すぐそばにあるアパートに住む大学生だ。一ヶ月ぐらい前に、お前ともめたはずだぞ」

「知らねえよ。俺に絡《から》んでくる馬鹿はたくさんいるんだよ。そいつら一人一人の名前なんて覚えているわけないだろ」

「そうか、ちなみにそいつは、先週この家に来たはずなんだよ。家に入っていくのを目撃したっていう奴もいる」鷹央は挑発的な目つきで沼田を見る。

「……ああ、あのガキのことかよ。たしかに来たよ。それがどうした」

数秒の沈黙のあと、沼田は苛立たしげにかぶりを振った。

「なんで市ノ瀬はここに来たんだ？　市ノ瀬とどんな話をした？」

「たいした話なんかしてねえよ。あのガキがまたお節介をやきに来ただけなんだよ。このままじゃ病気になるから、ここを片付けて、病院行った方がいいってな。大きなお世話だっていうんだ」

「ん？　市ノ瀬はお前の健康を心配していたのか？」鷹央は目をしばたたかせる。

「ああ、そうだよ。そりゃあさ、心配してもらえるのはありがたいけどよ、俺は放っておいて欲しいんだよ」

「けれど一ヶ月ぐらい前に、お前はゴミを漁っているところを市ノ瀬に見つかって大《おお》喧嘩《げんか》したんだろ」

「……あれは俺も悪かったよ。けどな、俺の半分も生きていないガキにいきなり『このままじゃいけない。もっとしっかり生きないと』なんて説教されたんだぞ。頭に血が上ってもしかたねえだろ」沼田はふて腐れたようにそっぽを向く。

なにやら話がおかしくなってきた。堺の話では沼田と市ノ瀬は険悪な関係だったということだったが、どうやら単純にそういうわけではなさそうだ。

「なるほど。つまりお前は市ノ瀬っていうお節介な男にうんざりしながらも、少しは感謝もしていたってことか？」

鷹央が確認すると、沼田はかすかに顎《あご》を引いてうなずいた。鷹央は腕を組んで黙り込む。新しい情報を頭の中で咀嚼《そしゃく》しているんだろう。十数秒後、腕を解いた鷹央はピンク色の唇を開く。

「市ノ瀬が行方不明になっていることは知っているか？」

「……はぁ？」沼田は訝《いぶか》しげに眉根《まゆね》を寄せた。

「だから、この家に入っていくのを目撃された日から、市ノ瀬が姿を消しているんだ。市ノ瀬はちゃんとこの家から出て行ったのか？」

鷹央は顎を引いて沼田を睨《ね》め上げる。沼田の唇が歪《ゆが》んだ。

「てめえ、俺があのガキをどうにかしたとでも言いてえのか」

「ああ、その可能性もあると思っている。だから訊いているんだ。それで、お前は市ノ瀬に危害を加えたのか」

「ふざけんじゃねえ！　お前はなんなんだよ。保健所から来たんだろ、それがなんで、あのガキのことばっかり訊いているんだよ！」

沼田は両手をちゃぶ台に叩きつける。

「そんなに興奮するなよ。じゃあ、保健所職員っぽいことを訊いてやろう。お前はなんでこんなにゴミをため込んでいるんだ？」

「なんでって……、どうでもいいだろそんなこと」

突然に話題を変えられて虚をつかれたのか、沼田は口ごもる。

「ああ、たしかにどうでもいい。ゴミをため込む奴らの中には、なんで自分がそんなことをするのかはっきり説明できない奴は多いからな。それじゃあ質問を変えよう」

鷹央は言葉を切ると部屋を見回した。

「この部屋にあったガラクタはどこに行った？」

「……なんのことだよ」沼田の声が低くなる。

「だから、最近までこの部屋に置かれていたガラクタのことだよ。この部屋の畳には凹凸や染《し》みの跡が目立つ。よく見ると最近ついたっぽいものも多い。つまり、つい最近までこの部屋にもガラクタがあふれていたってことだ。それはどこに行ったんだ？」

鷹央はちゃぶ台に両手をついて身を乗り出す。

「……邪魔だから捨てたんだよ」

「捨てたのか!?　そりゃ驚いた」

露骨に目を伏せた沼田の前で、鷹央は大仰に肩をすくめる。

「ゴミがあったら邪魔だろ。だから捨てて整理したんだよ。普通のことだろ」

沼田はヒステリックに声を荒らげる。鷹央は唇の片端を上げて皮肉っぽい笑みを浮かべた。

「ああ、普通だ。とっても普通のことだな」

「なんだ。何が言いてえんだよ」

含みのある鷹央の口調に苛立ったのか、沼田は大きく舌打ちをする。鷹央はそんな沼田にずいっと顔を近づけた。

「その『普通のこと』ができないから、お前はこんな『ゴミ屋敷』に住んでいるんだろ。理性では捨てないといけないと分かっていても、ゴミを集めてため込んでしまうんだろ。『ゴミ屋敷』に住む人間にとって、ゴミを捨てるってことは『普通』なことはあり得ないことなんだ。もしそんなことをするとしたら、やむにやまれぬ『異常』な事態になった場合だけだ。例えば……」

鷹央は皮肉っぽい笑みを浮かべる。

「ここで人が死んで、置いてあったゴミにその証拠がのこった場合とかな」

鷹央は左手の人差し指を立てると、部屋のすみの黒っぽい染みの目立つ畳を指さす。

「この部屋に入ったときから、そこにある畳の染みが気になっていたんだ。そこの染みだけ拭《ふ》き取ろうとした形跡がある。あれはもしかして血痕《けっこん》なんじゃないか？　ここで誰か大量に出血して、その跡を消そうとしたんじゃないのか？」

沼田の表情が溶けるかのようにゆがんだ。

部屋に重い沈黙が降りる。僕は無言のまま事態を見守ることしかできなかった。

「証拠……」くぐもった沼田のつぶやきが沈黙を破った。「俺があのガキを殺したっていう証拠でもあるのかよ」

「いや、いまのところないな。あくまで私の想像でしかない」

「ならさっさと出て行きやがれ！　二度とその面《つら》を見せんじゃねえ！」

激高した沼田が立ち上がり、鷹央を睥睨《へいげい》する。僕も慌てて立ち上がって身構えるが、当の鷹央は座ったまま平然と笑みを浮かべていた。

「家主に出て行けと言われたら、しかたがないな。今日のところは帰るとするか」

鷹央は余裕たっぷりに腰を上げ、僕に「帰るぞ」と声をかけた。

「ああ、そうだ」部屋から出る寸前、鷹央は振り返って沼田を見る。「お前が人を殺していたとしたら、ゴミの山を掻き分けてでも絶対に証拠を見つけ出してやるからな。楽しみにしておけよ」

4

「うまい！　最高！」

フォークを掲げながら鷹央が声を上げる。鷹央の前には食べかけのチーズケーキが置かれていた。『ゴミ屋敷』を出てから約三時間後、僕たちは堺の家のダイニングでケーキと紅茶をふるまってもらっていた。

沼田の家を出た僕たちは、ファミリーレストランで遅めの昼食をとりつつ、今後のことを話し合ったり色々と連絡をとったりした。そしてその後、報告がてら堺に会いに行くと、「お礼にぜひ」と家へと引っ張り上げられたのだ。

僕は腕時計に視線を落とす。時刻は四時を回っていた。貴重な休日が消費されていく。

まあしかたがないか。僕は紅茶をすする。もし本当にあの『ゴミ屋敷』で殺人があったとしたら大事だ。休日がどうこうとか言っていられない。

しかし、本当に殺人事件など起こったのだろうか？　沼田は市ノ瀬という青年が自分のことを心配していたと言っていた。それが本当なら、沼田が市ノ瀬を殺す理由なんてないいんじゃないか？

「小鳥、それ食べないのか？」

もの思いにふけっていると、横から声がかかった。見ると、自分のケーキを食べ終えた鷹央が、獲物を狙《ねら》う肉食獣のような目で僕の食べかけのケーキを眺めていた。

「食べないなら私がもらってやってもいいぞ」

「……食べたいんですか？」

「うん！」

満面の笑みでうなずく鷹央を横目で見ると、僕はフォークでケーキを突き刺し、素早く自分の口に押しこんだ。

「ごちそうさまでした」

「あああああ……」

悲痛な鷹央の声を聞いて少し溜飲《りゅういん》が下がる。

「お味はいかがでしたか？」

ポットに紅茶のおかわりを淹《い》れてきた堺がダイニングに入ってくる。

「……うまかったよ」鷹央はテンション低くつぶやいた。

「あの、どうかしましたか？　お口に合いませんでしたか？」

「いえ、なんでもないんです。とても美味《おい》しかったです。ごちそうさまでした」

不安げな表情になった堺に僕はあわててフォローをいれる。

「そうですか。それならよかったんですけど……。それで、あの男との話はどうでした？　やっぱりあの男が市ノ瀬君を襲ったんですか？」

ティーカップに紅茶を注ぎながら、堺は興奮気味に訊《たず》ねてくる。

「ああ、その可能性は高いな」鷹央は大きくうなずいた。

「やっぱり！　それで、このあとどうするんですか？」

身を乗り出す堺の前で鷹央は左手の人差し指を立て、ゆっくりと左右に揺らす。

「この事件に関してはたいした『謎《なぞ》』はない。おそらくは、話をしに来た市ノ瀬を沼田がなぜか殺してしまったっていう単純な事件だ。問題はどうやってそれを証明するかってことにある」

得意げに説明する鷹央の話に、堺は真剣な表情で耳を傾ける。

「そういえば、沼田は車は持っているか？」

「え？　車ですか？　いまは持っていないと思いますよ。この町内に来たころは家族と車に乗っているのを見かけましたけど、あの家が『ゴミ屋敷』になってからは一度も……。それが何か？」

唐突に話題を変えた鷹央を、堺は訝しげに眺める。

「沼田が殺人を犯した証拠はいまのところない。まあ、市ノ瀬の家族が失踪《しっそう》届でも出せば、いつかはあの『ゴミ屋敷』に警察の捜査が入るかもしれないが、それじゃあ遅すぎる。それまでに証拠が消されてしまうかもしれない。だから、早く殺人の証拠を見つける必要があるんだ」

鷹央の力説に、堺がうんうんと頷《うなず》く。

「一番確実な証拠は死体だ。市ノ瀬の死体が出れば警察だってすぐに動くはずだ」

「市ノ瀬君の死体……。けれど、どうやって？」

親しくしていた入居者の死体を想像したのか、堺は鼻の付け根にしわを寄せた。

「問題は死体がどこにあるかだ。若い男の死体だ、重いし目立つしで運ぶのはかなり大変なはずだ。沼田が車を持っていないなら遠くに遺棄するのは難しい。そうすると遺棄場所は限られてくる」

「もしかして……」

鷹央が何を言いたいのか気づいたのか、堺の声が震える。それも仕方がないだろう。僕もさっきファミレスでこの話を聞いて食欲がなくなり、食べかけのハンバーグを残してしまったのだから。

「そうだ。死体はまだあの家にある可能性が高い。あの大量のゴミの山だ、いくらでも隠し場所はあるだろう。市ノ瀬が姿を消してからもう一週間は経《た》っているから、この気温でもかなり腐敗はすすんでいるだろうけど。ゴミの悪臭で匂いにも気づかれにくい」

鷹央のデリカシーのないセリフを聞いた堺は、口を押さえて軽くえずいた。あの『ゴミ屋敷』から漂っている臭気に、知り合いの死体が腐る匂いが混ざっているかもしれないと言われたのだ。気持ちは分かる。

「それで、どうやってその死体を見つけるんですか？　あのゴミだらけの家を探すなんて……」堺は口を押さえたまま訊ねた。

「待てばいいんだよ」

「待つって、何をですか？」

「沼田が死体をどこかに隠そうとするのをだ」鷹央は得意げに胸を反らす。「さっき私は、そのうちあの『ゴミ屋敷』を徹底的に調べてやるぞって沼田に脅しをかけた。死体を家に隠していたとしたら、いまごろ沼田は焦っているはずだ。早く死体をどこかに移さないとってな。きっと今夜にでも動くはずだ」

「そこを捕まえるんですね！」

堺が身を乗り出すと、鷹央は我が意を得たりとばかりにうなずく。

「ああ、そうだ。今夜、私と小鳥、そしてあと一人であの『ゴミ屋敷』を監視する。三人いれば、沼田が裏口から出ようとしても見つけられるはずだ」

……なんでそんなに楽しそうなんだよ。

はしゃぐ鷹央を横目に僕は紅茶をすする。この寒い中を深夜まで張り込まないといけないうえ、相手は腐った死体を運んでいるかもしれないのだ。どう考えても胸を弾ませるようなイベントにはならない。

「あの、あと一人って、……もしかして私ですか？」堺が不安げに自分を指さす。

「いや、こういう仕事に適任な奴だ。さっき電話したら、今日がちょうど非番だったんでここに呼んである。まあ、ぐちぐち文句を垂れていたけど、まだ事件にもなっていない殺人事件を解決できるかもしれないって言ったら来るってよ」

「適任？　非番？」

堺が首をかしげると同時に、椅子《いす》の背に掛けた鷹央のコートからクラシックミュージックが聞こえてきた。

「おお、噂《うわさ》をすればだな」コートのポケットからスマートフォンを取り出すと、鷹央は通話をはじめる。

「すぐそこまで来ているってよ」

通話を終えた鷹央はコートを羽織ると、小走りに玄関へと向かった。まったく落ち着きのない人だ。僕と堺も席を立つ。

「よう、久しぶりだな」

玄関の外に出た鷹央は、家の前に立っているスーツ姿の体格のいい男、成瀬《なるせ》隆哉《りゅうや》刑事に向かって片手を上げる。成瀬はいつもどおりの仏頂面でかすかにうなずいた。

「あの、そちらの方は？」

サンダルをつっかけて出てきた堺は、まばたきをしながら成瀬を見る。

「こいつは田無《たなし》署刑事課の刑事で、成瀬っていう男だ。こいつに、あの『ゴミ屋敷』を見張る手伝いをしてもらうことにしたんだ」

ファミレスで食事を終えたあと鷹央が電話で状況を説明し、成瀬を呼び出したのだ。

「天久先生、まだ張り込みに付き合うかどうか決めたわけじゃありませんよ。とりあえず現場を見せてもらってから、お付き合いするかどうか決めます」

成瀬は唇をゆがめると、陰鬱《いんうつ》な口調で言った。殺人事件が解決できるかもしれないと言われて来たが、やはり一般人である鷹央の指示に従うことに強い抵抗があるのだろう。

「ああ、もちろんだ。それじゃあまず、被害者のアパートと現場の『ゴミ屋敷』を案内してやるか。よし行くぞ」

鷹央は大股《おおまた》に歩き出す。僕たちはそのあとに続いて行く。

「ここが被害者と思われる男が住んでいたアパートだ。先週から姿を消している。車も置いたままでな」

アパートを背にしながら鷹央が説明する。

「その被害者の部屋っていうのはどこなんですか？」興味なさげに成瀬が訊ねた。

「あそこです。あの真ん中の部屋です」

堺は一階の真ん中にある扉を指さす。その瞬間、扉が開いた。

「……え？」指をさしたまま、堺は呆《ほう》けた声を出す。

開いた扉からセーター姿の眼鏡をかけた青年が出てきた。青年は僕たちに気づくと、首をすくめるように会釈《えしゃく》をする。

「市ノ瀬……君」

「どうも、堺さん。こんにちは」

ボストンバッグを肩にかけたその青年は、笑みを浮かべながら快活に言う。どことなく垢抜《あかぬ》けない雰囲気だが、顔立ちは整っていて、その笑顔は爽《さわ》やかだった。

僕は堺とその青年に交互に視線を向ける。いま堺はこの青年のことを『市ノ瀬君』と呼んだ。もしかして彼が……？

「あなた……生きていたの」

堺は呆然《ぼうぜん》とつぶやく。青年は「はい？」と小首をかしげた。

「だってあなた、一週間以上もいなくて……。何日か部屋を空けるときは、これまでいつも私に一言伝えていたじゃない。それに車だって……」

「あ、すみません。実家の母が交通事故にあったって連絡がきて、慌てて出ていったもので。実家の辺りはこの時期雪がすごくて、スタッドレスタイヤ履いていないと危ないから、電車で帰ったんですよ」

「え、お母様が⁉ 大丈夫だったの？」

「骨折はしていましたけど、命に関わるような怪我《けが》じゃありませんでした。ただ、あと何週間か入院が必要らしいです。それで、ちょっと実家で過ごすつもりなんで、今日は服とかパソコンとか教科書みたいな必要な物をとりに戻ったんですよ」

市ノ瀬はボストンバッグを開く。その中には説明どおりの物がぎっしりと詰め込まれていた。

「でもあなた、先週あの『ゴミ屋敷』に入って行ったでしょ。私、見たのよ。あの男になにもされなかったの？」

「沼田さんのことですか？ あんなところで過ごしていたら体にも悪いし、近所迷惑だからって、時々家にお邪魔してお話しさせてもらっているんですよ。最初はすぐ追い返されていましたけど、最近は少しずつ話を聞いてくれるようになってきました。母のことが落ち着いたら、また話をしに行こうかと思っています」

「そうなの。私、てっきり……」堺は落ち着かない様子で視線を泳がせる。

「あ、そろそろ出ないと新幹線に乗り遅れるんで。それじゃあ失礼します」

市ノ瀬は一礼すると小走りに去って行く。僕たちはただその背中を見送ることしかできなかった。寒々しい沈黙が辺りに降りる。十数秒後、「くくっ」というくぐもった笑い声が沈黙を破った。

「先生、いまの彼が『被害者』ですか？　俺には死んでいるようには見えませんでしたけれどね。それでなんでしたっけ？　今夜張り込んで、彼の死体が運ばれるのを確認するんでしたっけ？」

分厚い唇の片端を吊《つ》り上げた成瀬は皮肉で飽和した口調で言う。ここぞとばかりに、鷹央に対する鬱憤を晴らそうというつもりらしい。

「ちょ、ちょっと待て。えっと……。いまの奴《やつ》、本当に市ノ瀬っていう男だったのか？」

鷹央は早口で堺にたずねる。うまく呂律《ろれつ》が回っていないところをみると、パニックになりかけているのだろう。恐ろしいほどの知能を持つ鷹央だが、その反面、予想外のことに遭遇すると結構簡単にパニックを起こすところがある。

「はい、間違いなく市ノ瀬君でした……。あの、私の勘違いだったみたいです。申し訳ありません」

堺は顔を赤らめると、深々と頭を下げた。鷹央は口を半開きにしたまま堺のつむじを眺める。

「いやあ、殺人事件だって言われたから急いでやってきたのに、まさか被害者がぴんぴんしていたとはねえ。まあ、これに懲《こ》りて、素人《しろうと》は今後、事件に首を突っ込まないようにしていただきたいですね。それじゃあ私はここで」

嫌味を言いたいだけ言い放った成瀬は、小馬鹿《こばか》にしたように鼻を鳴らすと去っていく。

「ちょっと待てって。絶対あの『ゴミ屋敷』でなにか事件があったんだ。絶対に……」

鷹央のかすれた声は、早春の冷たい風にかき消されていった。

5

「それじゃあ鷹央先生。僕は帰りますよ」

玄関扉の前に立ちながら、僕は薄暗い部屋の中で力なくソファーに横たわる鷹央に声をかける。しかし、鷹央は僕の声が聞こえていないかのように反応しなかった。

自らの推理が外れ、市ノ瀬が生きていたと分かってからというもの、ずっとこの調子だった。呆けたような表情を晒《さら》したまま、なにも話さないのだ。

しかたがないので僕は強引に鷹央をRX－8の助手席に乗せて、堺の家から天医会総合病院へと連れ帰ってきたのだった。

こんな状態の鷹央を放っておいていいものだろうか？　玄関扉を開けながら迷うが、

ここにいても僕にできることがあるとは思えなかった。

「鷹央先生、あんまり気にしないでくださいよ。誰にだって間違いぐらいありますよ。今回の件は鷹央先生じゃなく、早とちりした堺さんのミスですって」

もはや何度目か分からない慰めの言葉をかけるが、やはり鷹央の返事はない。僕は小さくため息を吐《つ》くと、〝家〟を出た。

屋上を横切り、階段を下り、エレベーターフロアーに着いた僕はこりこりとこめかみを掻く。やはり、このまま帰るのはなんとなく心配だった。普段は傍若無人な鷹央だが、その実かなり打たれ弱いことを、僕はこの八ヶ月の付き合いで知っていた。

鷹央に付き合わされ、もう夕方になってしまった。いまさら家に帰っても特にやることはない。少し時間をおいたあと、念のためもう一度だけ顔を見に行こうかな。そう考えた僕は、エレベーターホールから統括診断部の病床がある十階西病棟へ向かう。

先日退院した患者のレポートでも書くつもりだった。去年思うところあって外科から内科に転科した身としては、これから認定内科医、内科専門医などの資格を取得していく必要がある。その際、担当してきた症例をレポートとして学会に提出しなくてはならないのだ。

ナースステーションに入ると、患者に夕食の配膳《はいぜん》をする時間だけあって、看護師の姿は少なかった。ナースステーションの奥の席に座っている人物を見て僕は足を止める。そこにいたのは、この病棟の看護師である相馬若菜《そうまわかな》だった。

最近、統括診断部はそれほど患者を入院させていなかったので、若菜の顔を見るのは久しぶりだった。ちょっとした気まぐれで病棟にやって来たが、得した気分になる。すらりと長い足を組み、電子カルテのディスプレイの前に座っている。おそらくは看護記録を書いているのだろう。しかし、キーボードの上に置かれた手は動いていなかった。切れ長の目もどこか虚《うつ》ろで、ディスプレイを眺めてはいるが、一見してなにか別のことを考えていることが見てとれる。顔立ちが整った若菜がアンニュイな雰囲気を纏《まと》っている姿は、とても魅力的に見えた。

僕は若菜に近づいて行く。物思いに耽《ふけ》っている若菜は、僕に気づく様子はなかった。横から見ると、長い睫毛《まつげ》が目立った。

「相馬さん」

小さく声をかけると、若菜の細身の体がびくりと震えた。

「えっ？　あ、小鳥遊《たかなし》先生」

「大丈夫？　なにか疲れているみたいだったから」

「ああ、ちょっと考え事してただけです。大丈夫ですよ」

若菜はにっこりと笑みを浮かべる。しかし、その笑顔は無理に作られたもののように見えた。

「今日はまだ仕事なの？」

「いえ、今日は早出だったんで、もう勤務は終わっているんですけど、看護記録が終わらなくて」

　若菜のセリフを聞いて、僕は横目で壁時計を見る。早出勤務ということは、すでに勤務時間が終わってかなり経っている。それなのにまだ記録を書き終えていないということは、きっと、ついさっきまでのようになにか考え込んでいたのだろう。思わず「悩みがあるなら相談に乗ろうか」という言葉が口をつきかける。しかし、（少なくともいまはまだ）それほど親しくないのに、そんなことを言うのは、なんとなく憚《はばか》られた。

「小鳥遊先生はどうしたんですか？　私服ってことは、急変で呼び出されたりしたんですか？　でもたしか、いまは統括診断部の患者さんって入院していませんでしたよね」

「鷹央先生に連れ回されて、いま屋上の〝家〟まで送ってきたんだよ。そのまま帰ろうと思ったんだけど、せっかく病院に来たんだから、この前に退院した患者さんの症例レポートでもまとめようかと思ってね」

「ああ、天久先生を。お優しいんですね」

「いや、そんなこと……」若菜に褒められて、悪い気はしなかった。

「けど、天久先生がちょっと羨《うらや》ましいです。いつもサポートしてくれる恋人がいて」

「……恋人？　誰が？」

「え？　小鳥遊先生がですけど……。ちがうんですか？」

「ちがいます！」

僕ははっきりと言う。若菜は小首をかしげた。

「でも、鴻ノ池先生がそうだって……」

「あいつの言うことを信じないで！　適当に言っているだけなんだから」

「はぁ」若菜は不思議そうにまばたきをした。

やっぱりこの病院に来てから僕に春が来ないのは、あいつのせいだ。僕は確信する。

よりにもよって相馬さんにまでそんなデマを流すなんて。

鴻ノ池になんて文句を言ってやろうか考えていると、若菜の表情に再び暗い影が戻りはじめた。

「あ、あのさ、相馬さん。……なにかあったの？」

僕が意を決して訊《たず》ねると、若菜は顔を上げ「え？」とつぶやく。

「いや、なにかつらそうだったから。もし僕なんかでよければ、相談乗るよ」

押しつけがましくならないように注意しながら言うと、若菜の表情に逡巡《しゅんじゅん》が浮かんだ。僕と視線を合わせたまま十数秒黙り込んだあと、若菜はためらいがちに口を開いた。

「あの、小鳥遊先生、もし……」

「大変です！　誰か来て！」

弱々しい若菜の声を、悲鳴のような甲高い声がかき消す。声が聞こえてきた方を見ると、ナースステーション前の病室から若い看護師が駆け出してきた。たしか、この病棟の一年目の看護師だ。

「どうしたの？」若菜が先輩らしく鋭い声で訊ねる。

「倒れた人がいて、患者さんなんですけど、私が見に行ったら急に……」

恐慌《きょうこう》状態に陥っているのか、説明は支離滅裂だった。僕と若菜は一瞬顔を見合わせると、走ってナースステーションを横切り、その看護師が出てきた病室に入る。

病室に入ってすぐの右手にあるベッドの上で、体格のいい初老の男が細かく痙攣《けいれん》していた。

痙攣している。てんかん発作か？　それとも脳卒中？

頭の中で疾患をリストアップしながらベッドの脇《わき》に駆け寄ると、男の痙攣は止まった。

「分かりますか⁉　僕の声が聞こえますか？」

僕は男の体を揺すりながら大きく声をかける。しかし、男の反応はなかった。

「この患者は？」僕は一年目の看護師にたずねる。

「え、えっと、入院したのは昨日、いや今日で。さっきまで私とお話ししていたんですけど、急に痙攣しだして」看護師はしどろもどろに答える。

ちがう、僕が聞きたいのはそんなことじゃない。

「松原一郎《まつばらいちろう》さん五十六歳、失神の精査で本日入院した患者さんです。既往は特にありません。不整脈が疑われるので、現在二十四時間のホルター心電図の検査を受けていました」

若菜は素早く必要な情報を伝えつつ、モニター心電図をつける準備する。若菜が患者の胸に心電図の電極をつけるのを見ながら、僕は患者の口元に耳を近づけ、同時に胸を観察する。頬に呼吸の息が当たることもなければ、胸の上下動を確認することもできなかった。呼吸が停止している。僕は姿勢を戻すと、患者の首筋に触れた。しかし、頸動脈《けいどうみゃく》の拍動を触知することはできなかった。

「アレストしてる！」

僕がアレスト、心肺停止状態であることを宣言すると同時に、電極をつけ終えた若菜が心電図モニターの電源を入れる。液晶画面に大きさも形もバラバラな山がいくつも連なったような心電図が表示された。

「心室細動だ！」僕の声が病室にこだました。

心室細動。心室が細かく痙攣して血液を全身に送り出せなくなった状態。それはまぎれもなく心停止の一形態だった。予想どおり、この患者の失神の原因は不整脈だったのだろう。これまでは一時的な血圧低下による失神で済んでいたが、今回は致死的な不整脈が起こり、心停止になってしまったのだ。

「相馬さん、救急カートとカウンターショックを！　あと君はすぐにスタットコールをかけて、そのあと近くにいるナースを集めてきて！」

僕は指示を飛ばしながら患者の胸骨の上に両手を重ね、体重をかけて心臓マッサージを開始する。脳は血液の供給が滞ってから三分ほどで不可逆的な障害を負いはじめる。心臓マッサージで最低限の血流を保って脳を保護しつつ、心拍を再開させないと。

僕の指示を受けた若菜と一年目の看護師が急いで部屋から出た。数十秒後に、若菜が片手で救急カート、もう片手でカウンターショックを引いて部屋にやって来た。

「カウンターショック、チャージします！　エピネフリンの静注は？」

若菜は早口で訊ねてくる。

「やってくれ。あと、リドカインも一アンプル静注して！」

心臓マッサージを続けながら、僕は答える。若菜は救急カートの中から必要な薬剤を取り出すと、次々と点滴ラインの側管から投与していく。そのとき、天井のスピーカーから放送が聞こえて来た。

『スタットコール　スタットコール　十階西病棟』

スタットコール。院内急変が起き、医者を集める必要が出た時に流れる緊急放送。あと数十秒もすれば、病院中の医師たちがここに集まってくるだろう。しかし、悠長にそれを待っている余裕はない。処置が遅れれば遅れるほど、心停止患者の救命率は下がってしまう。いまは自分と若菜でできる限りのことをしなければ。

「チャージ完了しました！」

若菜がカウンターショックのパドルを差し出してくる。僕は頷きながら両手でパドルを手に取ると、それを患者の右胸と左の脇腹に当てる。

「離れて！」

合図とともに若菜がベッドから飛びずさるのを確認した僕は、パドルについたボタンを押し込んだ。ベッドの上で患者の体が勢いよく跳ね上がる。

強い電撃によって細かく痙攣している心臓を一瞬麻痺《まひ》させ、再び正しく拍動させるカウンターショック。心室細動にとってはこれが最も効果的な治療だ。

強力な電流によって、モニターに映し出されていた心電図のラインが画面外へとはじき飛ばされる。数秒後、ゆっくりとラインが下がってきていた。僕と若菜は息を殺しモニターを見つめ続ける。次の瞬間、基準線まで戻って来た心電図のラインが一定のリズムで正常な波形を描きはじめた。

僕は再び患者の首筋に指を這《は》わせる。今度は指先に力強い拍動を感じとることができた。

「心拍再開したよ。血圧も十分にある」

僕は大きく息を吐きながら言う。若菜の表情に安堵《あんど》の笑みが浮かんだ。血圧が戻ったことでかすかに意識を取り戻したのか、ベッドの上で患者がうめき声をあげて身じろぎをした。

廊下を走る足音が聞こえてくる。すぐに白衣を着た中年の男が病室に飛び込んできた。見知った顔だ。たしか循環器内科の医師。

「俺の患者なんだ。状態はどうなっているんだ⁉」

上ずった声で循環器内科医が声をあげる。彼に続いて、次々と医師たちが病室にやって来た。

「心室細動を起こしていましたが、カウンターショックで心拍再開しました。血圧も保っています」

僕が簡単に説明すると、循環器内科医は両膝《りょうひざ》に手を置いて、「良かった……」と声を漏らす。

「ありがとう先生、あとは俺がやるよ。本当に助かった」

「それじゃあ、よろしくお願いします」

頭を下げる循環器内科医に会釈をすると、僕は病室を出た。主治医が来たなら、もう僕の出る幕じゃない。ナースステーションに戻ると、同じように病室から出た若菜が近づいてきた。

「お疲れさまでした、小鳥遊先生。素晴らしいお手並でした」

「相馬さんもお疲れさま。相馬さんのサポートがあったからだよ。おかげで上手《うま》く蘇生《そせい》できた」

「そんな、私はなんにも。ただ小鳥遊先生の指示に従っただけですよ」

「いや、そんなことないって。相馬さんが的確に動いてくれてすごく助かったんだよ」

「でも、私なんて……」「僕だけじゃ……」

僕と若菜の声が重なる。僕たちは一瞬見つめ合ったあと、同時に吹き出した。

「それじゃあ、二人のお手柄ってことにしましょう」

若菜はその整った外見に似合わない、少女のようなあどけない笑みを浮かべた。心臓の鼓動が加速していく。

これは鴻ノ池に『惚《ほ》れっぽい』と言われるのもしょうがないな。

僕が苦笑を浮かべると、若菜の笑みにふっと暗い影が差した。

「……ありがとうございました、小鳥遊先生。落ち込んでいたんですけど、先生のおかげで少しだけ元気になりました」

小さく頭を下げた若菜は、身を翻《ひるがえ》して遠ざかって行く。もともと華奢《きゃしゃ》なその背中が、さらに小さく見えた。

いったいどうしたのだろう。僕は声をかけようと口を開く。そのとき、ズボンのポケットに入っていたスマートフォンが震え出した。ふと思いついて病棟にやって来たので、電源を落とすことを忘れていた。

慌《あわ》ててスマートフォンを取り出した僕は眉根を寄せる。一通のメールを受信していた。その差出人の欄には『天久鷹央』とある。

いったいどうしたというのだろう？　僕は液晶画面に触れてメールを表示する。

『まだ病院の近くにいるなら戻って来てくれ　頼みたいことがある』

「頼みたいこと？」

短いメールを眺めながら僕は首をかしげたのだった。

6

「大丈夫ですか?」

僕は鼻を押さえながら、隣に佇《たたず》む鷹央に話しかける。鷹央は硬い表情を浮かべたまま
うなずいた。日曜日の昼前、僕と鷹央は昨日と同じように『ゴミ屋敷』を訪れていた。

昨日、病棟でメールをもらった僕が〝家〟に戻ると、険しい顔で鷹央が言ったのだ。

「沼田に謝りに行きたいから、付き合ってくれないか?」と。

正直、日曜まで潰《つぶ》れるのも、あの悪臭漂う『ゴミ屋敷』に行くのも気乗りがしなかったが、これまで聞いたことがないほど弱々しい鷹央の声に思わず引き受けてしまっていた。

「それじゃあ、いきますよ」

僕はインターホンを押す。軽いチャイム音が響いた。鷹央はまっすぐに閉ざされた扉を凝視し続ける。数十秒後、玄関扉が開き、野球帽を目深《まぶか》にかぶった肌の汚れた男が顔を出した。警戒心に満ちた視線が僕たちに浴びせかけられる。

「またお前らか。……消えろよ」

沼田は唸《うな》るように言うと、扉を閉めようとした。

「待ってくれ、今日は謝りに来たんだ！」

扉が閉まる寸前、鷹央が声を張った。閉まりかけた扉が止まる。

「謝りに？」再び顔を出した沼田は訝《いぶか》しげにつぶやいた。

「ああ、そうだ。謝りに来たんだ。昨日はお前が市ノ瀬っていう大学生を殺したなんて言ってすまなかった。私の勘違いだった。市ノ瀬は生きていたんだ」

鷹央は深々と頭を下げる。とりあえず僕もそれにならった。

「……頭上げろよ」

声を掛けられ、僕は顔を上げる。沼田が野球帽のつばの奥から僕たちを見つめていた。

「謝ることねえよ。こんな家に住んでいるんだ。誤解されることにゃ慣れてる。それより、あの市ノ瀬とかいうガキは無事だったんだな。それだけ分かりゃ十分だよ」

沼田は黒っぽく変色した唇にかすかに笑みを浮かべると、「じゃあな」とつぶやいて扉を閉めようとする。

「ああ、ちょっと待ってくれ」鷹央が慌てて声をかける。「お詫《わ》びと言ってはなんだが、医者としてお前に教えたいことがある」

「教えたいこと？」

「お前はすぐに治療を受けるべきだ。このままだと命の危険がある。私はお前がなんでゴミを集めているかに、昨日気づいたんだ」

鷹央はもったいをつけるように一拍間をおくと、唇をぺろりと舐《な》めて湿らせる。

「お前は集めてきたガラクタを……食っているだろ」

ガラクタを食っている？　予想外のことに、僕は耳を疑った。

沼田は無言のまま鷹央を凝視する。先を促すかのように。

「昨日家の中を見たとき、ガラクタの中にいくつか囓《かじ》った跡があることに気づいたんだ。お前の症状は医学的に言えば『異食症』と呼ばれるものだ。食用でない無機物などをどうしても食べたくなってしまう症状だ。お前は町内のゴミ収集所を漁《あさ》って、自分の食欲を刺激する物を集めていたんだろ。そして食べきれない物が家に溜《た》まっていった」

やはり沼田はなにも言わなかった。その沈黙は鷹央の言葉が正しいことを予感させた。

「いまのところ健康に大きな影響は出ていないようだが、このままの生活を続ければいつ病気になってもおかしくない。まずはしっかり検査して、異食症の原因をつきとめたうえで治療を受けるんだ。そうすれば、もうガラクタを集める必要もなくなる」

「……考えておくよ。……ありがとうな」

沼田は小声でつぶやくと、今度こそ扉の奥へと姿を消した。鍵《かぎ》が掛けられる音が響く。

「なんとか穏便にすみましたね。それじゃあ帰りましょうか」

安堵の息を吐きながら隣を見ると、鷹央は俯《うつむ》いたまま肩を震わせていた。泣いている？　安心したせいだろうか。それとも、おかしな推理をしてしまったことがくやしかったのだろうか。

僕が震える肩に手を伸ばしかけると、鷹央はゆっくりと顔を上げた。手が止まる。鷹央は声を押し殺して笑っていた。その顔には小悪魔的な、いや、どちらかというと悪魔的な笑みが浮かんでいる。

「あ、あの。……鷹央先生？」

この状況にそぐわないその表情に、思わず身を引いてしまう。鷹央は口角を上げながらゆっくりと唇を開いた。

「待ってろよ、目にもの見せてやるからな」

「次の曲がり角を左折だ！　左折だぞ！」助手席から声が飛ぶ。

「分かりましたって。そんなに大声出さなくても聞こえます」

ハンドルを握りながら僕は、助手席でスマートフォンの画面を食い入るように眺めているロングコート姿の鷹央を横目で見る。

「……そこに目的地が映し出されているんですか？」

「ん？　ああ、そうだ。もうすぐ着くみたいだな」

「着くって、僕たちはどこに向かっているんですか？　もう奥多摩の山奥ですよ」

「それは着いてからのお楽しみだ。ああ、そこ左折だぞ」

「はいはい」

ハンドルを左に切る。RX－8はなんとか車がすれ違えるほどのせまい山道へと入った。走り始めてから二時間近く、十五分ぐらい前から暗い林道を走り続けている。カーナビに表示されている時刻は二十三時を回っていた。

『先月の二十二日、大田区の港で女性の遺体……事件で、捜査本……害者である関原《せきはら》桜子《さくらこ》さんの交友……』

電波が悪いため、スピーカーから聞こえてくるニュースも途切れ途切れになる。僕はラジオのスイッチをオフにした。

明日も朝から仕事だというのに、なんでこんな深夜に鷹央と奥多摩の山奥でドライブしているんだろう？　僕はヘッドライトに浮かび上がるやや荒れた路面を眺めながら自問する。

半日前、沼田への謝罪を終え自宅に帰ろうと思っていた僕に、鷹央が「これからが本番だ。とりあえず病院に戻るぞ」と言ってきた。かくして僕は、鷹央の〝家〟で理由も分からないままに待機させられることになったのだった。

くり返し「何を待っているんですか？」と訊ねてもはぐらかす鷹央に耐えかねて、何度も帰ろうと思った。しかしそのたびに「この事件の真相を知りたくないのか」と思わせぶりに言われ、毒を食らわば皿までとなかばやけくそ気味に、僕は貴重な日曜の午後を消費していった。

時刻が午後九時をまわり、さすがにもう帰ろうと思いだした頃、ずっとパソコンの前に座っていた鷹央が「動き出した！　追うぞ！」と言いだした。そしてわけの分からないままに、鷹央の指示通りに車を走らせているのだった。

そもそも鷹央が言う『事件』とはなんのことだろう？　市ノ瀬が生きていることは確認できたのだ。あの時点で解決するべき『事件』など無くなったはずだ。昼間、沼田に謝罪したあとの鷹央の表情が脳裏に蘇《よみがえ》る。鷹央はあの『ゴミ屋敷』で殺人があったと考えていた。もしかしたら、沼田は市ノ瀬ではない誰かを殺していたということだろうか？　そうだとしたら誰を？

車を進めていくにつれ道幅は段々と狭くなり、舗装も不十分になってきた。ＲＸ－８の硬めの足回りが、道の凹凸をダイレクトに臀部《でんぶ》へと伝えてくる。

「本当にこの道で正しいんですか？　どんどん獣道みたいになってきていますけど」

このまま遭難したりしないよな？

「大丈夫だ。そろそろ着くから少しスピードを落とせ。あと、ライトも下向きにしろ」

鷹央の声にかすかな緊張が混じる。そろそろ着く？　いったいどこに着くというのだろう？　疑問に思いながらも僕は言われた通りにした。

ふと、フロントグラスの奥に伸びる暗い道に軽自動車が止まっているのが見えた。こんな所に？　そう思った瞬間、助手席から「停めろ！」という声が飛ぶ。僕は反射的に急ブレーキをかけた。シートベルトが軽く胸に食い込む。

「ライトを消せ！　エンジンもだ！」

鷹央は素早く指示を出していく。僕はわけも分からぬままにそれに従った。

「あの、先生。ここは？」

「出るぞ。声はできる限り小さくな。相手に気づかれないように注意しろよ」

僕の問いに答えることなく、鷹央は車外へと出る。僕はあわててシートベルトを外すと鷹央に続いた。

街灯もなく、空に浮かぶ月からの薄い光も道の両脇からせり出す巨大な木々の葉に遮られているため、辺りは闇《やみ》に包まれていた。自分の足元を確認するのが精一杯だ。

「よし、行くぞ。とりあえずあの車の近くまでだ」

「ちょ、ちょっと待って下さいよ。僕は先生ほど夜目が利《き》かないんですよ」

ささやくような小声で言って歩き出そうとする鷹央を、僕はあわてて止める。鷹央は光に対して過敏なかわりに、フクロウのように夜目が利く。

「しかたねえな」鷹央はコートのポケットから小ぶりな懐中電灯を二つとりだし、そのうち一つを僕に手渡した。「光の強さを調節できるタイプだ。できるだけ光量を絞れよ。見つかったら面倒だからな」

「誰に見つかるって言うんですか？」

僕が小声で訊ねると、鷹央は「いいからついてこい」と腰を屈《かが》めて歩き出す。しかたなく、僕は鷹央に言われた通り懐中電灯を最小の光量で点《つ》けると、足元を照らしながら進んでいった。

足音を殺して、数十メートル先に停車していた軽自動車に近づく。車内に人はいないようだった。トランクが開いている。

鷹央は突然這いつくばると、車の下に手を入れて何かを摑《つか》み出した。

「おお、あったあった」鷹央の手には名刺入れぐらいの大きさの物体が握られていた。

「なんです、それ？」

「ＧＰＳ追跡装置だ。昼間仕掛けておいたんだよ。これを仕掛けておけば、その車がどこにいるのかパソコンとかスマホで見られるんだ」

鷹央はその機器を僕に差し出してきた。そう言えば今日の昼、『ゴミ屋敷』に謝罪に行った帰り、車に乗る前に「ちょっと待っていろ」とか言って十数分どこかに姿を消していたっけ。あの時、この車に追跡装置をつけに行っていたのか。

けれど、この車は誰のものなんだ？　僕にはまだ状況が飲み込めていなかった。

「あの……」

僕が口を開きかけた瞬間、鷹央の手が僕の口を覆《おお》った。鷹央は唇の前に左手の人差し指を立て、その指を林へと向ける。見ると林の奥に光が灯《とも》っていた。誰かがいるらしい。

「これからが本番だ。相手は必死に抵抗してくる可能性がある。そうなった場合、お前にまかせるぞ」

「いや、そもそもあれは誰なんですか？　あんなところで何をやっているんです？」

早口で訊ねるが、鷹央は「気づかれないように注意しろよ」とだけ言うと、腰を屈めて光の見える方向に歩き出した。

秘密主義もいいが、こういう時ぐらいもうちょっと説明してくれ。僕は胸の中で悪態をつくと、同じように体を小さくして鷹央に続く。さっきの鷹央の口ぶりからするとトラブルになる可能性が高そうだ。覚悟を決めなければ。

僕と鷹央は息をひそめながら林の奥へと進んでいく。二十メートルほど林に入ると、木々の隙間《すきま》から光に照らされる人影が見えてきた。こちらに背中を向けていて顔は見えないが、若い男のようだ。大型の懐中電灯を地面に置いて、なにか作業をしている。その両手には長さ一メートルほどのスコップが握られていた。

僕と鷹央は足音をたてないよう気をつけながら、木々の陰をつたって男に近づいて行く。とうとう男まで数メートルの距離にまで移動することができた。太い樹木の陰に鷹央とともに隠れながら、僕は胸に手を置いて心臓の鼓動を抑える。

鷹央が小声で「行くぞ」とつぶやいた。よく分からないが、ここまで来たらもう四の五の言ってられない。僕はその場に懐中電灯を置いて両拳《りょうこぶし》を握りこむ。

「動くな!」樹木の陰から飛び出した鷹央が男に向かって叫ぶ。

男の全身が大きく震え、スコップを構えた体勢で硬直した。

「やっぱり思った通りだったな」

仁王立ちした鷹央は手にしていた懐中電灯を点け、男の足元を照らした。

「うおっ……」

そこに照らし出されたものを見て、喉《のど》の奥からうめき声が漏れる。

掘り返された土の中からのぞいていたもの、それは腕だった。肉が崩れ、一部で骨が剥《む》き出しになっている……人間の腕。

「あれは……、いったい……?」僕は震える声を喉の奥からしぼり出す。

「見たとおり人間の遺体だよ。だよな？」

鷹央が話しかけると、スコップを持った男はぎこちない動きでゆっくりと振り返る。

歪《ゆが》みに歪んだ男の顔を見て、僕は「あ……」と間の抜けた声を漏らした。

そこに立っていたのは市ノ瀬、最初に殺人事件の『被害者』だと思われていた男だった。

*

「なんで……お前らが？」

歯茎がむき出しになるほど唇を歪めた市ノ瀬は、眼鏡の奥から僕たちを睨《にら》みつける。

「事件を解決するために決まっているだろ」

鷹央は一歩前に出ると、勝ち誇るかのように言った。

「『事件』って……いったい何のことですか？」

僕はおずおずと訊ねる。昨日、市ノ瀬が生きていることを確認した時点で、『事件』などなかったと証明されたはずなのに。

「何を言っているんだ。『殺人事件』に決まっているだろ」

「殺人……」助けを求めるように地面から突き出されている手に、僕は視線を向ける。

「あそこに埋まっているのは、いったい誰なんですか？」

「なんだよお前、まだ分かっていないのかよ」

これ見よがしに大きなため息を吐く鷹央を、市ノ瀬は無言のままにらみ続けていた。

「つまりな、私も堺もある意味正しかったんだよ。たしかにそこの男が『ゴミ屋敷』を訪れた日、殺人事件が起きていたんだ。あの畳についていた染《し》みも、やっぱり血痕《けっこん》だったんだよ」

「でも、誰が殺されたっていうんですか？　あの家には沼田以外にも誰か住んでいたってことですか？」

あの『ゴミ屋敷』にいた第三者。それを沼田と市ノ瀬の二人が殺害して、この山奥に埋めた。そういうことなんだろうか？

鷹央は「違うよ、馬鹿」とつぶやくと、いまだに無言のまま立ち尽くしている市ノ瀬に挑発的な視線を送る。

「そこに埋められているのは沼田、あの『ゴミ屋敷』の主人だ。沼田が市ノ瀬を殺したんじゃなく、逆だったんだよ。先週、『ゴミ屋敷』をおとずれた市ノ瀬が沼田を殺したんだ。あの居間でな」

「えっ⁉」鷹央の言ったことが理解できず、僕は眉根《まゆね》を寄せる。「いや、そんなはずないでしょ。だって沼田さんには今日の昼に会った……」

「なんであれが『沼田』だと言い切れる」

「何でって……」

「私たちが初めて『沼田』に会ったのは昨日だ。『ゴミ屋敷』の中から出てきた背中を曲げた汚い男を見て、私たちは当然それが『沼田』だと思いこんでしまった」

「……もしかして」鷹央が言おうとしていることにようやく気づいた僕は、目を見開くと、数メートル先に立つ男に視線を送る。

「そうだ。この二日間、私たちが会っていた『沼田』。あいつはそこの男が変装した姿だったんだ。だよな？」

鷹央は唇の片端を上げながら市ノ瀬に水を向ける。しかし、市ノ瀬は奥歯をきしませるだけだった。

「答えないのか？　まあ、それならそれでいいぞ。代わりに私が説明してやるからな。先週、『ゴミ屋敷』に乗り込んだお前は、あの居間で沼田を殺してしまった。家に入っていくのを堺に目撃されていたところを見ると、最初から殺すつもりだったわけじゃないんだろうな。そのあとお前は一日かけて犯罪の痕跡を消そうとした。血痕を拭《ふ》いたり、居間にあったガラクタをほかの場所に隠したりしてな。そして、深夜になって自分の車に沼田の死体を積んで、この山奥に埋めたんだ。絶好の隠し場所だよな。ここならまず見つからないだろう」

鷹央は両手を大きく広げながら、周囲の森を見回す。

「『ゴミ屋敷』に戻ったお前は、よれよれの服を着て汚い野球帽をかぶったうえ、顔や体を黒く染めて『沼田』に変装した。特徴が多い男だけに、逆に変装するのは難しくなかっただろうな」

「変装って、事件が起こった時間をごまかすためですか？」

「そういうことも考えたかもしれないが、メインの目的じゃない。普通、ゴミ屋敷の主人が消えたって、誰も『事件』だなんて思わないだろ。その男はな、『ゴミ屋敷』の中で探し物をしないといけなかったんだよ。だから、万が一『ゴミ屋敷』にいるところを見られても疑われないために、沼田に変装したんだ。そして一週間以上も『ゴミ屋敷』に寝泊りして、あのガラクタの中を必死に探し回り続けていた」

鷹央はあごを引いて、問いかけるように市ノ瀬を睨《ね》め上げる。

「なにを……わけのわからないこと言ってんだよ……」

それまで口をつぐんでいた市ノ瀬が、食いしばった歯の隙間から低い声を絞り出す。

「なんだ。死体が目の前にあるのに、まだしらを切るつもりか？　まあいいだろ。それじゃあ、私が事件の全貌《ぜんぼう》を説明してやるとするか」

鷹央は舌なめずりをする。

「まず、事件のきっかけはおそらく、堺夫妻の夫婦喧嘩《げんか》だ。堺は先週の深夜、パトカーが駆けつけるほどの激しい夫婦喧嘩をしたって言っていた。お前はそれを勘違いしたんだ。自分を逮捕しに警官たちがやってきたってな。そしてあわてたお前は、警官に絶対に見つかるわけにいかないものをアパートの窓から外に捨てた」

「アパートの外って……」僕は思わず口をはさむ。

「そうだ。その男が住んでいる部屋の窓の外にはゴミ捨て場がある。そこに一時的に『お宝』を避難させようと考えたわけだ。警察が夫婦喧嘩の仲裁を終えて帰って行ったあと、安堵したお前はゴミ捨て場に置いた『お宝』を回収しようとした。けれど、ゴミ捨て場にはすでに『お宝』はなかった。あせったお前は周囲を必死に探すが、『お宝』は見つからない。そして夜も明けてきたころ、ようやくお前は気づいたんだ。沼田が『お宝』を持っていったのかもしれないってな。だからお前は『ゴミ屋敷』に乗り込んだ。たぶん、沼田はゴミ捨て場から『お宝』を拾ったことは認めたが、返そうとしなかったんだろうな。勢いあまったお前は沼田を殺してしまった」

そこまで一気に話すと、鷹央は一拍おく。鷹央の口にしたことはたしかに筋が通っているように聞こえる。ただ、ひとつ分からないことがあった。

「その『お宝』って、いったい何なんですか？」

人を殺し、あの悪臭の中に一週間以上住み着いて探すほどのもの。それがなんなのか、僕には想像がつかなかった。

「あくまで私の予想だが……」鷹央は左手の人差し指を立てる。「覚醒剤《かくせいざい》じゃないか」

『覚醒剤』という単語を鷹央が口にした瞬間、市ノ瀬の体がびくりと震えた。それを見て鷹央は鼻を鳴らす。

「どうやら正解みたいだな」

「覚醒剤……」僕は昨日、堺から聞いた話を思い出す。あの住宅地で覚醒剤の密売が行われているという話を。

「薬物は一般的に暴力団などが密輸し、それを街中で売りさばく下《した》っ端《ぱ》のチンピラに流している。そして、下っ端が逮捕されても密輸元までたどられないように、途中で仲介する奴を置くことが一般的だ。簡単に言えば、違法薬物の問屋みたいなものだ。たぶん、市ノ瀬の役目はその『問屋』だったんだろう。上から薬物を預かり、それをあの周辺の売り子に流していたってところか。よく車で出かけていたのも、売り子にクスリを渡したり、売り上げを回収していたりしたんじゃないか」

鷹央が左手の人差し指をゆらゆらと揺らしながら言うと、それに呼応するかのように、スコップを握る市ノ瀬の両手が震えはじめた。

「そんな奴がクスリをなくしたら、そりゃあ必死で探そうとするよな。クスリはあくまで上の組織から預かっているものだ。なくしたりしたら、損失分を自分でかぶるか、それができなきゃ下手をすれば東京湾の底行きだ」

鷹央はニヤニヤしながら、笑い事ではないことを口にする。市ノ瀬の手に生じた震えは、ゆっくりと腕、体、そして顔へと広がっていった。

「そのあとのことは、さっき説明したとおりだ。そこの男は沼田を殺してしまい、沼田になりすまして必死に覚醒剤を探した。けれど昨日、私たちが『ゴミ屋敷』を訪ねてきて、このままだと『ゴミ屋敷』の家捜しをされると思ったそいつは、『沼田』から『市ノ瀬』に戻って私たちの目の前に現れたんだ。そうすれば、私たちが調査をやめると思ったんだろ。残念だったな。お前の小細工なんて家に帰ってからちょっと考えれば、すぐに分かったよ。私はしつこいんだ、バーカ」

昨日、恥をかかされたことを根に持っているのか、鷹央は子供のように舌を出す。

「証拠……」体を震わせながら、蚊の鳴くような声で市ノ瀬がつぶやいた。

「あ？　なんだって？」

「証拠だ。いまお前が言ったことに証拠があるのかよ！」

市ノ瀬はつばを飛ばしながら叫ぶ。

「死体を掘り返しておいて何を言っているんだ。その死体を見れば腰の重い警察だって動く。お前の車の中からは沼田の死体を運んだ痕跡が見つかるだろうし、『ゴミ屋敷』をしっかり調べれば、そこで殺人事件があったことも、そのあとお前が変装してそこで生活していたことも分かるはずだ」

鷹央は揺らしていた人差し指を指揮者のように振る。それを合図にしたように、市ノ瀬の頭ががくりと垂れた。

「……小鳥」鷹央は市ノ瀬には聞こえない程度の小声で話しかけてくる。「このあと、あいつが何をするか。分かっているな」

「……ええ、分かっていますよ」

僕はうつむく市ノ瀬から視線をはずすことなく答えると、鷹央の前に出る。どうやら出番のようだ。

深夜の山奥で自らが犯した殺人事件の全貌を暴《あば》かれた男。そんな男がこれから何をしようとするか、火を見るより明らかだった。

事件の真相を知る人間、つまりは鷹央と僕の口封じ。

市ノ瀬がゆっくりと顔を上げ僕らを見る。懐中電灯の薄い光の中でもはっきりと分かるほど、その目は血走っていた。両手で持っていたスコップが緩慢な動きで振り上げられる。

「うあああー！」

森にとどろく奇声を上げると、スコップを振り上げた市ノ瀬は僕たちに向かって走ってくる。僕は軽く重心を落とすと細く息を吐いた。

市ノ瀬は大股《おおまた》に間合いをつめてきた。振り下ろしてもぎりぎりスコップが届かない距離、一足一刀の間合いに市ノ瀬が侵入した瞬間、僕は後ろ足で地面を蹴《け》って一気に間合いをつめる。目を見開いた市ノ瀬があわててスコップを振り下ろすが、すでに遅かった。

　僕は左腕を外側に返しながら、その前腕でスコップの柄を受け止める。たいした衝撃もなくスコップの動きが停止する。ここまで間合いが詰まれば、長さのある武器は文字通り無用の長物になる。

「あ、あ……」

　慌てた市ノ瀬が離れようとするが、その前に僕は無造作に両手を伸ばすと、市ノ瀬の頭部を包み込むようにして脇を締めた。後頭部で重ねた僕の両手にひきつけられ、市ノ瀬がお辞儀でもするように大きくバランスを崩す。『首相撲』と呼ばれる技術だ。胸の前に来た市ノ瀬の頭部に向かって、僕は思い切り膝を突き上げる。膝頭に軽い衝撃が走った。

　手を放すと、顎《あご》に膝蹴りの直撃を受けた市ノ瀬は、糸の切れた操り人形のようにその場に崩れ落ちた。体重八十キロ近くある僕の手加減なしの膝蹴りだ。当分まともに動けないだろう。

「ほれ、これで縛っとけ」

　鷹央はポケットからガムテープを取り出し、僕に向かって放る。

「先生、ちょっと訊《き》いていいですか。まだひとつ分からないことがあるんですけど」

失神している市ノ瀬の手をガムテープでぐるぐる巻きにしながら訊《たず》ねる。

「ん、なんだ？」

「なんでこの男、わざわざ死体を掘り出しに来たんですか？　こんなことしなければ、殺人があったって証明できなかったかもしれないのに」

「お前、なんのために今日、私が『ゴミ屋敷』に謝罪に行ったか分からないのか」

「え……？」そういえば、今日の昼の時点で鷹央は明らかに、市ノ瀬が沼田を殺していたことを見抜いていた。謝罪なんか必要なかったはずだ。

「もう少し頭使えよな。今日、『ゴミ屋敷』から出るとき、私は沼田に化けていたその男に言っただろ。『お前は、食べるためにガラクタを集めている』ってでたらめを」

「そういえばたしかに。あれ、でたらめだったんですね。……ああ、そういうことか」

「そうだ、その男は私の罠《わな》にはまったんだよ。一週間以上『ゴミ屋敷』に泊り込んで探しても『お宝』が見つからないのは、沼田がそれを食べてしまったからじゃないかって思い込んだんだ」

「それでわざわざ死体を掘り返して、確認しようとしたんですね」

「そういうことだ」

鷹央は得意げに言うと、スマートフォンを取り出し液晶画面をなぞりはじめる。鷹央の性格からすると、おそらくは成瀬に電話をかけるのだろう。昨日小馬鹿《こばか》にされた借りを返そうとするはずだ。

　勝ち誇るような笑みを浮かべながら通話をする鷹央を横目に、僕は小さくうめき声をあげはじめた市ノ瀬の足をガムテープで固定する。

「成瀬に連絡したら、すぐにここに警察送るってよ。死体を見つけたって言ったら、泡を食っていたぞ。ざまあみやがれ」

　やはり、昨日のことを根に持っていたらしい。

「これで事件も解決ですか。けれど、その『お宝』……覚醒剤はいったいどこにいったんでしょうね」

　やはり、あの『ゴミ屋敷』のどこかに埋もれているのだろうか。

「それも見当はついているぞ」

「本当ですか？」

「ああ、あくまで予想だけどな」

　鷹央はそう言うと、いたずらっぽい笑みを浮かべた。

「小鳥、明日は仕事終わったあとひまか？」

「そこのかどを曲がったところみたいだな」

「はいはい。ちゃんと前を見ないと、この前みたいに電柱にぶつかりますよ」

「うっさい」

地図に視線を落としていた鷹央は、横を歩く僕を軽くにらむ。奥多摩の山奥で殺人事件の真相を暴いた十数時間後、病院での通常勤務を終えた僕と鷹央は東村山市の住宅街を歩いていた。毎度のことながら、近くの駐車場まで僕が車で鷹央を連れてきたのだ。ちなみにこれも毎度のことだが、現在どこに向かっているのか僕はまったく知らなかったりする。

鷹央の言うとおりに曲がり角を折れると、二十メートルほど先に安っぽいスーツを着た体格のいい男が立っていた。

「あれ？　成瀬さんじゃないですか」

僕が声をかけると、成瀬は気をつけてみていなければ分からないほどかすかに顎を引いて会釈《えしゃく》した。

「待たせたな。ご苦労さん」

鷹揚《おうよう》に手を上げながら近づいてくる鷹央を見て、成瀬はいかつい顔を引きつらせる。どうやら鷹央が呼び出していたらしい。

「ええ、結構待ちましたよ。いつも言っていますけど私も忙しいんですよ。刑事を小間使いかなんかと勘違いしないで欲しいんですけどね」

「おいおい、お前らが見逃していた殺人事件を見事解決してやったっていうのに、なんだよその言い草は。普通なら涙を流して感謝するもんじゃないか」

一昨日《おととい》小馬鹿にされた件をまだ根に持っているらしく、鷹央は挑発的な笑みを浮かべる。成瀬のいかつい顔がゆがんだ。

「感謝って言われても、うちの管轄《かんかつ》じゃなかったんで手柄は青梅《おうめ》署のものですけどね」

昨夜、成瀬の連絡で現場に駆けつけた警官たちに市ノ瀬の身柄を預け、僕と鷹央はそのまま署で数時間、事情を聞かれるはめになった。おかげで寝不足もいいところだ。

「警察の縄張り争いなんか知るか。それで、市ノ瀬は殺人を認めたのか」

「……青梅署の知り合いから聞いた話では、死体遺棄に関しては認めたけど、その他のことについては全《すべ》て否認しているらしいですね」

成瀬は露骨に興味なさげに説明する。所轄が違うとはいえ自分も少しは事件にかかわっているのだから、もう少しどうにかならないものだろうか。こんな態度では『お役所仕事』と言われても仕方がない。

「覚醒剤の件については？」

「それについても、そんなもの知らないと言っているようです。ちなみに市ノ瀬のアパートも捜索しましたが、いまのところ覚醒剤を売っていた痕跡は見つかっていません」

成瀬の声が低くなる。覚醒剤の密売については自分たちの所轄内で起こっている事件だけに、強い興味があるようだ。

「しかし何だ。いつもは『一般人に捜査情報は流せない』とか何とか言うのに、今日はやけに口が軽いな」鷹央は成瀬に近づくと、上目遣いにその目を覗《のぞ》き込む。

「……これくらいのことは報道でも流れるでしょうからね。お二人は犯人逮捕の功労者ですし、まあ少しぐらいなら」成瀬は露骨に視線をそらす。

「やけに殊勝だな。上司に叱《しか》られでもしたのか。『ちゃんと天久鷹央の話を聞いていれば、ほかの署に手柄を取られなかったのに』とか」

図星だったのか成瀬は苦虫を嚙《か》み潰したような表情を浮かべると、「そこが例の場所です」と強引に話題を変えた。

「寺……？」僕は成瀬が指さした建物を見る。「寺に行くんですか」

「寺というか、墓地ですね」陰鬱《いんうつ》な口調で成瀬が言う。

「墓地？　まさか、また遺体が埋まっているなんて言わないですよね？」

一瞬頭をよぎった不吉な想像をかき消そうと、僕はおどけた口調で言う。

「いや、埋まっているぞ。沼田の妻と娘の遺体だ」

「は⁉」てくてくと歩きだした鷹央の放った言葉に、僕は顔を引きつらせる。「ちょっと待ってくださいよ。沼田の妻と娘って、たしか離婚してどこかに……」

「それは堺が噂《うわさ》で聞いた話だろ。実際には二人とも死んでいる」

「そんな……」

せっかく事件は解決したと思っていたのに、ほかに二人も死者がいたというのか。沼田の家族も市ノ瀬に殺されたのか？　いや、もしかしたら沼田が家族を手にかけたという話なのか？

「二人の遺体が、そこの墓地に隠されているっていうわけですか？」

僕がおそるおそる訊ねると、鷹央はこりこりとこめかみを掻《か》いた。

「遺体というか、正確には『遺骨』だな」

「遺骨？」

「ああ、そうだ。沼田の妻と娘は二年前に交通事故で亡《な》くなっている。そして、その墓地に埋葬されているんだ」

「え、交通事故？　殺人事件じゃ……」

「そんなにぽんぽん殺人が起こってたまるか。一昨日の夜、沼田についてネットで検索したんだ。そうしたらヒットした。二年前に起きた交通事故のネット記事だ」

「二年前って、たしかあの家にゴミがたまりはじめたころじゃ……」

「そうだ。二年前、沼田が妻と娘を乗せて運転していた車は、信号無視してきた居眠りのトラックに側面から衝突された。沼田は軽傷ですんだが、ぶつけられた助手席側にいた妻と娘は即死だったらしい。きっと家族を失った強い精神的ショックで沼田は精神疾患を発症し、ガラクタを家に溜め込むようになったんだ」

「……その亡くなった二人の墓が、そこの墓地にあるんですか？」

「ああ、そうらしいな。ちなみに調べたのは成瀬だ。今朝、私のことを馬鹿にした罪滅ぼしとして沼田の家族が埋葬されている場所を探せって連絡したら、昼過ぎには調べをつけてくれた。さすがに警察の捜査力は侮《あなど》れないな」

「……罪滅ぼしでやったわけじゃありません。調べたら覚醒剤を見つけてやるって言われたからやったんですよ」成瀬はふてくされたように言う。

「どっちでもいい。ほらさっさと行くぞ」

　鷹央はぱたぱたと手を振ると、大股に墓地に向かって歩き出した。

「それで、この墓地で何をするつもりなんですか？」

僕は背伸びをして周辺の墓石に視線を配りながら、同じように隣で背伸びをしている鷹央に話しかける。鷹央のあとを追って入った墓地はかなりの広さがあり、僕たちはその中で必死に沼田家の墓を探していた。所々にある街灯のお陰でそれほど暗くはないが、それでも夜の墓地は気味が悪かった。

「なんで沼田はあんなにガラクタを溜め込んでいたと思う？　ああ、もう！　よく見えねえな」

身長百五十センチに満たない鷹央は、背伸びしても墓石に視線が遮られるらしく、ヒステリックな声を上げる。

「何でって、家族を失ったストレスで精神疾患を発症して、物を捨てられなくなったからなんでしょ？」

さっき自分でそう言ったじゃないか。

「ああ、そのとおりだ。けれど、沼田は何でも持って帰ったわけじゃない。町内のゴミ捨て場を巡回して、気に入ったものだけを持って帰っていた。沼田はどんな基準でガラクタを回収していたんだろうな。言い換えれば、どんなものが沼田にとって『お宝』に見えていたんだろうな」

「そんなこと、僕に分かるわけないじゃないですか」

「あの『ゴミ屋敷』に置かれていたガラクタを思い出してみろ。電化製品などを中心にその多くが分解されていただろ」

「そうでしたっけ？」

そんなことを言われても、そもそもあのゴミの山をそれほど集中して見てはいない。

「もう少し観察力を鍛えろよ。で、なんで沼田はガラクタを分解なんかしていたんだと思う？」

「だから、分かりませんって」僕は『お手上げ』とばかりに両手を挙げる。

「ちょっとは脳みそ使えよな。堺は沼田の職業をなんて言っていた」

「職業……？」僕は一昨日の堺との会話を思い起こす。「たしか、『芸術家』とか……」

「天久先生、ありましたよ」

遠くから成瀬の声が聞こえてきた。鷹央は声のした方向を振り向くと、「よし」とつぶやいて走り出す。

「あ、ちょっと待って」

墓地の隅にある墓石の前で、成瀬が複雑な表情を浮かべながら立っていた。僕と鷹央が近づくと、成瀬は無言で墓石を指差した。

「うわっ……」思わず口から感嘆の声が漏れる。

その墓は『沼田家之墓』と刻まれた竿石《さおいし》を中心に、横三メートル、奥行き二メートルほどの大きなものだった。そして、その墓のいたる所に、『作品』が置かれていた。

そう、それはまぎれもなく『芸術作品』だった。

羽を広げた蝶《ちょう》、悠々と泳ぐ魚、炎がゆれる蠟燭《ろうそく》、今にも飛び立とうとしている猛禽《もうきん》、本格的なログハウス。三十センチほどの大きさのそれらの『作品』は、繊細にして大胆で、視線を容赦なく惹《ひ》きつける。

よくよく見るとそれらはすべて、釘《くぎ》や針金、電子回路、木片、ペットボトルのふたなど、どこにでも転がっているような『ゴミ』を組み合わせることで作られていた。

「これって……」そのあまりのクオリティの高さに圧倒され、僕は立ち尽くす。

「これが沼田の『作品』だ。ネットで検索してみると、沼田は売り出し中の現代芸術家だったらしい。ここに置かれている作品みたいに、生活の中で出る『ゴミ』を材料に作品を作って、海外でいくつか賞をとっていたらしいぞ。二年前まではな」

「交通事故に遭うまで……」

「たぶん、沼田は自分だけ生き残ったことに絶望したんだろうな。そして、鎮魂のためか贖罪《しょくざい》のためか、それともただ現実逃避するためか、ひたすらに作品を作り、墓前に供えるようになった」

「じゃあ、徘徊《はいかい》してガラクタを集めていたのは……」

「ああ、作品を作るための材料を集めていたんだ。もしかしたら、以前からやっていたのかもしれないが、事故を機に少しでも使えそうなものはすべて持ち帰って、溜め込むようになったんだと思う」

鷹央は目を細めながら、所狭しと並べられている『芸術作品』を眺める。

「それで、これがどうしたって言うんですか」

『作品』に目を奪われている僕たちの横で、成瀬がため息混じりに言う。

「お前、このすばらしい芸術を見ても何も感じないのか？」

鷹央は目を剝いて成瀬を見た。

「そりゃあすごいとは思いますよ。けれど、私の任務は芸術鑑賞じゃなくてシャブを見つけることですからね」

「つまらない男だな。日本人ならもっと侘《わ》び寂《さ》びの精神を持てよ」

鷹央は成瀬に軽蔑《けいべつ》の視線を投げつけると、左手の人差し指を立てる。

「先々週、パトカーが近くに停まってあせった市ノ瀬は覚醒剤を外に捨てた。そしてその覚醒剤を沼田が拾って持ち帰った。けれど、沼田を殺した市ノ瀬が一週間以上『ゴミ屋敷』を漁《あさ》っても覚醒剤は見つからなかった。そうなると考えられることは一つだろ」

「……すでにこの墓地に置いてあったということですか」成瀬は鼻の頭を搔く。

「ああ。市ノ瀬が乗り込む前に、すでに『お宝』をこの墓に持ってきていたんだ」

成瀬は墓に置かれた作品に睨みつけるような視線を送る。

「けれど、一見したところシャブは見当たりませんけどねぇ」

「当たり前だろ。覚醒剤をむき出しで保管するかよ。何かに入れて隠していたはずだ。そんな危ないものを隠しているようには見えない『何か』にな」

きょろきょろと沼田の作品を見回していた鷹央は、墓の隅を指差した。

「あれじゃないか？」

鷹央の指の先には、クラシックな雰囲気の安楽椅子《いす》をかたどった『作品』が置かれ、その上にウサギのぬいぐるみが座っていた。

目から涙を流し、片方の耳でその涙をぬぐっているぬいぐるみ。たしか、去年あたりから人気になっている『泣きウサギ』とかいうキャラクターだ。

泣き顔にもかかわらず、ぬいぐるみはリラックスしてその椅子に座っているように見えた。まるで、その椅子が自分のためにあつらえたものであるかのように。

「沼田は殺される数時間前、ゴミ捨て場であのぬいぐるみを見つけたんだ。自分が作った椅子にぴったりのあのぬいぐるみを。そして沼田はそれを持ってこの墓にやってきて、その椅子に座らせた」

鷹央の表情がふっと緩む。

「もしかしたら、娘が喜ぶと思ったのかもな。子供に人気のぬいぐるみだろ、あれ」

成瀬はスーツのポケットから取り出したゴム手袋をはめると、体と手を伸ばし『泣きウサギ』のぬいぐるみを摑んだ。

「おいおい、だからもう少し侘び寂びをだな……」

鷹央の文句を黙殺すると、成瀬は『泣きウサギ』の背中にあるチャックを開ける。ぬいぐるみの泣き顔が、まるで解剖されて泣いているように見え、思わず眉根が寄る。

「ありました。……さすがですね」

『泣きウサギ』の体内から白い粉の入った小さなポリ袋を取り出した成瀬は肩をすくめる。その顔には呆《あき》れとも苦笑ともつかない表情が浮かんでいた。

「……なあ、小鳥」鷹央が囁《ささや》くように言う。

「なんですか?」

「今度さ、『泣きウサギ』のぬいぐるみを買って、ここに墓参りに来ないか」

僕は数回瞬《まばた》きをすると、ぬいぐるみが取り去られた安楽椅子に視線を落とす。かすかに揺れるその椅子は、ぬいぐるみを奪い去られどこか哀《かな》しげに見えた。

「いいですね、それ」

僕が珍しく全面同意すると、鷹央は哀愁のこもった笑みを浮かべながら墓を埋め尽くす作品を眺めていった。僕もそれにならう。

これらを作った男は、もうすぐ家族とともにこの墓で眠ることができるだろう。ようやく彼は平安を取り戻せるのかもしれない。

夜風が吹き抜けていく墓地の中、僕と鷹央は並んで、その美しい『芸術作品』を眺め続けた。

＊＊＊

人でにぎわう週末の繁華街。駅を出た僕は腕時計に視線を落とす。

午後七時十五分。約束の時間まであと十五分だ。

僕は人ごみを掻き分けながら、いそいそと待ち合わせ場所の駅前広場に向かう。

『ゴミ屋敷』でおきた殺人事件が解決した翌々週の金曜、僕は鴻ノ池が再セッティングしてくれた合コンへと向かっていた。

最近、相馬さんに惹かれているけど、みんなで楽しく呑《の》むぐらいなら許されるだろう。断ったりしたら、せっかくセッティングしてくれた鴻ノ池にも悪いし。

自分にそんな言い訳をしながら進んでいく。幸運なことに今日は鷹央につかまることなく、午後六時に救急業務が終わるとすぐに病院をあとにし、こうして待ち合わせ場所へとやってくることができていた。

たしか、このあたりで待ち合わせのはずだけど……。

広場に到着した僕はあたりを見回す。さすがに週末だけあり、人がひしめき合っていて鴻ノ池の姿を見つけることはできない。

スマートフォンを取り出すと、鴻ノ池に電話をかけようと通話履歴を表示する。履歴の一番上に表示される番号を見て思わず苦笑してしまう。それは成瀬の携帯番号だった。今日の昼過ぎに救急部の控え室で昼食をとっていると、突然成瀬から電話がかかってきたのだ。

普段どおりの不機嫌そうな声が「事件の顚末《てんまつ》をご連絡します。事件解決のお手伝いをしていただいた義理です。あとで天久先生に伝えておいてください」と切り出した。

鷹央に伝えたいなら直接電話をすればいいのにとは思ったが、成瀬が鷹央と話すのを嫌がっていることは分かっていたし、事件の顚末に興味もあったので、伝言役を頼まれることにした。

成瀬の説明によると、市ノ瀬は覚醒剤が発見されたことで心が折れたらしく、その入手先や流していた相手を洗いざらい吐いているらしい。何としても元締めまで検挙するつもりだと成瀬は言っていた。ただ殺人に関してはいまだに否認し、興奮して沼田を殴り倒したらガラクタの山が崩れてきて、それに押しつぶされて沼田は命を落としたと主張しているらしい。もしかしたらそれが真実なのかもしれない。

「殺人と傷害致死、どちらの罪状で起訴するかは検察の判断ですから、分かりませんし興味もありません。では」

成瀬は本当に興味なさげに言うと、唐突に通話を切った。まさに『ザ・お役所仕事』という態度だったが、鷹央に呼び出されれば渋々ながらもやってくることが多いところをみると、あの仏頂面《ぶっちょうづら》の下に捜査に対する熱い想《おも》いがあるのかもしれない。

ちなみに、沼田の遺体はすでに親戚《しんせき》の手によって火葬され、自らの作品で埋め尽くされたあの墓に葬《ほうむ》られたらしい。

先日、僕と鷹央は『泣きウサギ』のぬいぐるみを買ってあの墓を訪れ、座る者がいなくなってさびしげだった安楽椅子にのせた。アンティーク調の椅子に腰掛けたぬいぐるみは、泣き顔ながらどこか満足げに揺れていた。

「いたー!」

揺れるぬいぐるみを思い出していると、正面から甲高い声が浴びせかけられる。顔を上げると、鴻ノ池がぶんぶんと手を振りながら近づいてきていた。

「おお」僕も軽く手を上げる。

「『おお』じゃないですよ、いま何時だと思っているんです? 遅刻ですよ、遅刻」

「え、待ち合わせは七時半って……」

「小鳥先生、今日は合コンなんですよ、合コン。それなら三十分は早く来て、作戦会議をするのが常識じゃないですか」

「いや、そんな常識は知らないんだけど……」

僕はつぶやきながら、淡いピンク色のワンピースの上にコートを羽織っている鴻ノ池を眺めた。普段は化粧っけのない顔にばっちりとメイクが施されている。

「え、どうかしました？　私をそんな情熱的に見つめて」

「情熱的に見つめた覚えなんかない。お前の私服なんて見たことなかったから、ちょっと新鮮だっただけだ」

「えー、なんですか小鳥先生。もしかして私を口説こうとか思っています？　別にいいですけど、もったいないなぁ。けっこうかわいい女の子呼んであるのに」

「安心しろ。お前を口説くぐらいなら、いますぐ家に帰るから。それよりほかの面子《メンツ》はどこにいるんだよ」

僕はきょろきょろとあたりを見回す。その『けっこうかわいい女の子』たちも、ほかの男性参加者も見当たらなかった。たしか今日は三対三で飲むという話だったが。

「あ、私以外の女性陣は直接お店に行っています。男性参加者は一人が仕事で少し遅れるって連絡がありました」

「ああ、そうなのか。それじゃあ、あと男性陣の一人が来れば店にいけるんだな」

「え、小鳥先生。最後の一人ならもういるじゃないですか」

「はあ？」

僕が間の抜けた声を上げた瞬間、背後の下方から「ようっ」という声が聞こえてくる。その声を聞いた瞬間、全身が硬直する。

いまの声って、まさか……。

関節がさび付いたような動きで僕は首だけ振り返り、視線を下にむける。

「どうした？　間抜け面さらして」

そこでは年下の上司が、『いたずらっぽい』と形容するにはあまりにも悪意のこもった笑みを浮かべて僕を見上げていた。ボトムはいつものジーンズだが、上着は珍しくパステルカラーのセーターを着ている。よく見るとかすかに化粧すらしているようだ。

「なんで鷹央先生がここに⁉」

「そんなに驚かないでくださいよー。この前、『私も合コン行きたい』って頼まれたから誘ったんです。あ、ちなみにコーディネートと化粧は私がやりました」

鴻ノ池は得意げにVサインを見せた。

そんな馬鹿な。今日は鷹央のことを忘れて羽を伸ばせると思ったのに……。

「ってことは、『けっこうかわいい女の子』の一人が鷹央先生ってことなのか」

それじゃあ、あとの一人に期待するしかないじゃないか。

「ああ、違います違います」鴻ノ池は顔の前でパタパタと手を振る。「鷹央先生は男性サイドでの参加です」

「……なんじゃそりゃ？」

「つまりだな、私は男なんかに興味がないから、合コンではぜひ女の子を口説く立場で参加したかったんだ」

僕の質問に、鷹央がセーターに包まれた胸をそらしながら答える。

「というわけです」鴻ノ池は満足げにうなずいた。

「いや、『というわけです』じゃないだろ。相手の女の子たちだって……」

「あ、それは大丈夫ですよ。前もって男性サイドでかわいくてかっこいい女性ドクター連れていくって言ってありますから。みんな喜んでいましたよ」

「いや、でも……。そもそも鷹央先生と飲むのはちょっと……」

居酒屋で年齢確認されるような外見に似合わず、鷹央は鬼のように酒に強い。これまで数回一緒に飲んだことがあるが、一度として自分の足で家に帰れたためしがなかった。

「ほれ、何をつべこべ言っているんだ。さっさといくぞ。舞、そっち側の手を持て」

「了解でっす！」

こうして痺《しび》れを切らした鷹央と嬉々《きき》として命令に従う鴻ノ池に引きずられ、僕はすでに絶望の予感しかしない合コンに参加する羽目になったのだった。

後日、鴻ノ池から聞いた話では、遅れて参加予定だった男はどうしても仕事を抜け出せず不参加となり、鷹央は三人の女の子たちといちゃつきながら終始上機嫌で、女性陣の方もかなり楽しく過ごしたらしい。

……単なる女子会じゃないか。

ちなみに僕はというと、開始三十分もしないうちに鷹央に潰《つぶ》され、閉店時間までダイニングバーの個室トイレでうめき続けたのだった。


翌日の午前八時頃、僕は重い頭を振りながら、入院している患者の検査や注射の指示を十階西病棟のナースステーションで電子カルテに打ち込んでいた。朝の採血や食事の片付けなどで看護師が忙しい時間帯なので、ステーション内は閑散としている。

本来、土曜日は休みなのだが、今日は午前九時から午後六時まで、内科の病棟日直に当たっていた。内科の入院患者が急変した際に、処置を行う役目だ。当直に入る前に、統括診断部に入院している患者のオーダーを出し終えるつもりだったのだが、昨夜鷹央に潰されたダメージが残っているせいで体がだるく、仕事があまりはかどっていなかった。

「小鳥遊先生……」

背後から涼やかな声がかけられ、僕は勢いよく振り向く。遠心力で一瞬、痺れるような頭痛が脳天を貫いた。僕は顔をしかめ、頭を押さえる。

「あの……、大丈夫ですか？」

そこに立っていたナース服姿の相馬若菜が、心配そうに訊ねてくる。形の良い眉毛を八の字にしたその表情は蠱惑《こわく》的だった。

若菜の勤務時間と僕が病棟を訪れる時間が合わなかったせいで、一緒に心停止患者の蘇生《そせい》を行って以来、若菜と顔を合わせるのははじめてだった。

「ああ、大丈夫大丈夫」僕はむりやり笑顔を作る。「それよりどうかした？　入院患者さんのこと？」

「あの、そうではなくて、ちょっと折り入ってお話ししたいことが……」

若菜は口ごもると、ナースステーションの隅にある薬品棚の陰に視線を送る。どうやら、あそこで話したいということらしい。たしかにあそこなら廊下から死角になるし、内緒話をするにはちょうど良い場所だ。

いったいなんの話だろう？　僕は戸惑いながら席から立つと、若菜とともに薬品棚の陰に移動する。

「どうかしたの？」

「はい……、えっと……」若菜は目を伏せる。なにやら言いにくいことを切り出そうとしているその態度に、緊張感が高まっていく。女子に体育館裏に呼び出された高校生のような気分だった。

もしかして、告白とか……。淡い想像（妄想？）に心臓の鼓動が速くなる。

意を決したのか、若菜は勢いよく顔を上げる。つぶらな瞳《ひとみ》に見つめられ、僕は「はい！」と上ずった声をあげた。

「小鳥遊先生！」

「天久先生にご相談したいことがあるんです！」

「……は？　相談？　鷹央先生に？」

期待とはまるで違う言葉に、僕は口を半開きにする。若菜は大きくうなずいた。

「はい、そうなんです。天久先生が不思議な事件をいくつも解決しているって噂を聞いています。それで、もし可能なら天久先生にお話だけでも聞いていただきたいと……。あの、小鳥遊先生どうかしましたか、急にうなだれたりして？　体調悪いんですか？」

Karte. 03

瞬間移動した女

1

「あ、あの……」

患者用の椅子《いす》に腰掛けながら、相馬若菜《そうまわかな》は居心地悪そうに首をすくめる。

「私の顔、……なにか付いていますか？」

二メートルほど離れた位置では、鷹央《たかお》が椅子から立ち上がらんばかりに身を乗り出し、若菜の顔を凝視していた。

鷹央に相談したいことがあると若菜に頼まれた日の午後六時過ぎ、僕は若菜を統括診断部の外来へと連れて行き、鷹央と会わせていた。

「いや、べつに。しいて言うなら、ファンデーションが付いているくらいだな」

鷹央のピントが外れた答えに、若菜の顔に浮かぶ戸惑いの色がさらに濃くなる。

「あのですね、鷹央先生。なんで先生がそんなにじろじろ顔を見てくるのかって、相馬さんは訊《き》いているんですよ」

鷹央の後ろに立っている僕は若菜に助け船を出す。鷹央が初対面の相手をぶしつけに観察するのはいつものことだが、今回は普段よりも明らかに若菜に対して興味を持っているようだ。

「ああ、そのことか。いやあ、お前が噂《うわさ》の相馬若菜かって思ってな」

「噂の？」若菜は不安げに聞き返す。

「ああ、そうだ。舞《まい》から色々噂は聞いている。十階病棟に綺麗《きれい》なナースがいて、小鳥《ことり》が最近そいつを狙《ねら》っ……」

とんでもないことを口走りかけた鷹央の口を、僕は慌《あわ》てて背後から塞《ふさ》いだ。掌《てのひら》の下で鷹央がうーうーとなにやら声（間違いなく僕に対する罵声《ばせい》だ）をあげる。

「あの……」若菜は目をしばたたかせる。

「いや、なんでもないから気にしな……痛っ！」

手の甲を鷹央に思い切り引っ掻《か》かれた僕は、思わず悲鳴を上げてしまう。

「いきなり何すんだ、お前は⁉」口が自由になった鷹央が声を張り上げた。

「それはこっちのセリフです！」

真っ赤なミミズ腫《ば》れが走った手の甲を見せると、鷹央は低い鼻を鳴らした。

「お前がセクハラしてきたからだ。自業自得《じごうじとく》だろ」

相馬さんの前で人聞きの悪いことを言わないでくれ。一瞬、舌先まで出かかった抗議の言葉を必死に飲み下すと、僕は心を落ち着けながら口を開く。

「そんなことより鷹央先生、相馬さんは鷹央先生に相談があるらしいですよ。なにか不思議な事件に巻き込まれたとか」

「不思議な事件！」

僕を睨《にら》んでいた鷹央は、とたんに相好を崩して若菜に向き直った。やはり、色恋沙汰《ざた》より怪奇現象の方が遥《はる》かに鷹央の好奇心を刺激するらしい。僕は小さく安堵《あんど》の息を吐く。

「その不思議な事件ってなんなんだ⁉ どんなことが起こったんだ？」

さっきよりさらに身を乗り出して鷹央は若菜に迫っていった。

若菜の顔に暗い影が落ちる。かすかに開いた唇の隙間《すきま》から、弱々しい声が漏れた。

「瞬間移動……らしいんです」若菜はためらいがちにその言葉を口にする。

「瞬間移動⁉」

そのあまりにも非現実的な響きに、僕は思わず声をあげてしまう。鷹央が振り返り、剣呑《けんのん》な視線を向けてきた。その視線は露骨に「うっさいから黙ってろ」と語っていた。

僕は口元に手をやり、チャックを閉めるような仕草をする。

「瞬間移動、物体や自分自身を一瞬にして離れた場所に転送する現象だな。テレポーテーションとも呼ばれることがある。それが起こったっていうのか？」

「そんなことあり得ないとは分かっています。けれど、そうとしか考えられない状況で、そのせいで警察の捜査が行き詰まって……、桜子《さくらこ》になにがあったか……」

若菜は椅子から腰を浮かすと、声を上ずらせながら言う。その様子は鬼気迫っていて、まるでなにかに追い詰められているかのように見えた。

「落ちついて事件について詳しく話せ。その桜子って言うのは誰なんだ？　警察の捜査っていうのはどういうことだ？」

鷹央に諭された若菜は、消え入りそうな声で「……すみません」とつぶやきながら椅子に腰を下ろす。

「関原《せきはら》桜子……。看護学校の同級生で……親友でした。彼女が先月に……」

そこまで言ったところで、若菜は唇を嚙《か》んでうつむいた。その様子を見れば、関原桜子という女性の身になにか良くないことが起こったことは容易に想像できた。

「先月に大田区の港で見つかった女の遺体、その身元がたしか関原桜子という名前だったはずだな。お前の親友っていうのは、その遺体で見つかった女か」

鷹央は低い声で若菜に水を向ける。若菜はうなだれたまま、蚊の鳴くような声で「はい、そうです」と答えた。

「港で見つかった遺体って、警察が殺人事件として調べているってやつじゃ……？」

僕はおずおずと言う。被害者の名前まではおぼえていなかったが、その事件についてはニュースで見た。たしか朝釣りで港にやって来た釣り人が、テトラポッドの隙間に倒れている若い女の遺体を見つけたということだったはずだ。遺体の身元は近くに住む若い看護師で、事件に巻き込まれた疑いが強いということで捜査本部が立ち上げられたと聞いている。若い女性の遺体ということで二、三日はワイドショーを賑《にぎ》わせたが、すぐに他のセンセーショナルなニュースの波に押し流され、最近はマスコミに取り上げられることはほとんどなくなっていた。

「ああ、そうだ。続報がほとんど出ていないところを見ると、警察の捜査はあまり進んでいないんだろうな。その事件で『瞬間移動』が起きたって言うのか？」

鷹央が訊《たず》ねると、若菜は視線を下げたまま小さく頷《うなず》いた。

「はい、聞いた話では……。私も詳しいことを知っているわけではないんです。ただ、桜子と同じマンションに住んでいる知り合いが、最近何度も警察に話を聞かれているらしくて……。その人の話では警察が桜子の……遺体が瞬間移動したとしか思えないような状況になっていて困っているとか……」

「それで、私にその『瞬間移動の謎《なぞ》』を解いて欲しいってわけか？」

鷹央があごを撫《な》でると、若菜は勢いよく顔を上げた。

「桜子は大事な親友だったんです。だから、桜子の身に何が起きたのか、いったい誰が桜子にあんなことをしたのか、どうしても知りたいんです！　天久《あめく》先生の噂は以前からうかがっていました。どんな不思議なことも解き明かしてくれるって。だからお願いできないかと思ったんです！」

若菜は早口ですがりつくように言う。

「『瞬間移動の謎』か……面白そうだな」

鷹央の口角が上がっていき、ネコのような目がキラキラと輝きはじめる。『謎』が鷹央の好奇心を刺激した印だ。また面倒なことに巻き込まれそうだ。

「引き受けていただけるんですか！」若菜は期待のこもった視線を鷹央に向ける。

「ああ、もちろんだ。ただ『謎』を解くなら、もう少し詳しい状況を知る必要があるな」

「それなら大丈夫です。さっき言っていた桜子と同じマンションに住んでいる友人に連絡を取って、話を聞けるようにお願いしますから」

若菜は早口で言う。

「できれば捜査情報とかも欲しいところだけど、まずはそいつから話を聞くとするか」

鷹央は椅子から立ち上がると、若草色の手術着に包まれた胸を張った。

「その『瞬間移動の謎』、私が解き明かしてやろう」

「テレポーテーションの有名な実例としては、一五九三年のメキシコシティにフィリピンのマニラ総督の警備に当たっていたという男が現れた事件がある。その男はまだ電話や電報もない時代に、そのときマニラで起こっていた総督暗殺について知っていたという。また一六五五年にはインドからポルトガルに瞬間移動したという男がいて……」

2

二日後の午後七時前、助手席で鷹央がまくし立てている『瞬間移動』についての情報を聞き流しながら、僕は鷹央と若菜を乗せて愛車のRX－8で品川区を走っていた。左手には倉庫などが建ち並び、その奥に海が広がっている。片側三車線あるこの道は走っている車が少なく、運転していて気持ちよかった。若菜の友人であり、先月の関原桜子の事件について情報を持っているという人物が今日なら時間が取れるということで、僕たちは勤務を終えたあとその友人のマンションへと向かっていた。

僕はちらりとバックミラーに視線を向ける。後部座席に座る若菜のほっそりとした顔が鏡に映る。その表情は少し緊張しているようだった。目は軽く伏せられ、長い睫《まつ》毛《げ》がさらに強調されて見える。

「おい、……聞いているのか？」

隣から低く籠《こ》もった声をかけられ、僕は我に返る。横目でちらりと助手席を見ると、サイズの合っていないぶかぶかの白いセーターに、さらにこちらもややサイズが大きすぎるジーンズといったいつも通りの垢抜《あかぬ》けない服装の鷹央が、唇を尖《とが》らせながらこちらを睨んでいた。完全に話を聞き流していたことに気づかれたらしい。

「もちろん聞いていましたよ。不思議な話ですね。けれど、まさか今回の事件で本当に遺体が瞬間移動したなんてありえませんよね」僕は早口で誤魔化す。

「まだ全然状況が分からないんだから、実際に瞬間移動が起きたかどうかなんて判断できんよ。けれど、いつも言っているだろ。私はどんな可能性も最初から捨てるようなことはしない。あらゆる可能性を検討して最後に残ったもの。それこそが真実なんだ！」

鷹央の口調に熱が籠もっていく。どうやら話を聞いていなかったことは誤魔化せたらしい。この八ヶ月の付き合いで、我ながらこの人の相手に慣れたものだ。

「けれど、瞬間移動ってどういうことなんですかね？　遺体が見つかったのは港だったらしいですけど、殺害現場がそこじゃないということなん……」

そこまで言ったところで、僕ははっとして口をつぐむ。雑談でもするように事件の話を口にしてしまったが、若菜にとってその被害者は親友だったのだ。僕が再びバックミラーに視線を向けると、鏡越しに若菜と目が合った。僕は慌てて目を逸《そ》らす。

「あ、あの、相馬さん……」

「気になさらないでください。事件について調査をお願いしたのは私ですから」

しどろもどろになる僕に向かって若菜はけなげに言った。

「関原桜子が殺害された場所は、自宅マンション内だとみられている。二月二十二日の深夜零時頃、近所の住民が部屋で大きな物音を聞いているんだ」

鷹央が左手の人差し指を立てながら言う。

「えっ、なんでそんなこと知っているんですか？」

「これくらいのこと、普通に報道されていたぞ。この二日で関原桜子の事件については、ネットで集められる限りの情報を集めてみた。けれど、それくらいのことしか分からなかった。あまり警察が情報を流していないみたいだな。捜査が行き詰まっているからかもしれない。小鳥、関原桜子が住んでいたマンションはまだなのか」

事件について喋《しゃべ》っているうちにテンションが上がってきたのか、鷹央は小刻みに体を揺らしはじめる。

「あと五分ぐらいで着くはずですよ」僕はナビを見ながら言う。

海沿いを真《ま》っ直《す》ぐに伸びる道を走っていると、前方に巨大な建物が見えてきた。その大きさは天医会総合病院に勝るとも劣らない大きさで、四角錐《しかくすい》のような前衛的なその形状は、やけに近未来的な雰囲気を醸《かも》し出していた。

「あっ、あそこが港南臨海総合病院です。そこの駐車場に入って下さい。夜間はかなり安く停められるらしいです」

後部座席から身を乗り出した若菜がその建物を指さす。僕は指示通りに建物に近づくと、その駐車場にRX－8を滑り込ませた。

「なんか、格好良い病院だな。ここに関原桜子は勤めていたのか？」

車から降りた鷹央が体を反らせて病院を見上げながらつぶやく。

「はい。いまから会う友達もここで働いています。マンションはあちらだそうです」

若菜は僕たちを引き連れて駐車場を出ると、さっき僕が車を走らせていた道を横切る横断歩道の前で足を止める。信号は赤だった。横断歩道の先には住宅地や倉庫があり、その奥に海が広がっている。

「たぶん、あそこが桜子の住んでいたマンションです」

若菜は横断歩道の向こう側を指さす。百メートルほど先の住宅地に七、八階建てのマンションが建っていた。少し造りは古いようだが、海沿いであの高さがあればかなり見晴らしは良いだろう。

信号が青に変わる。若菜より先に鷹央が小走りで横断歩道を渡りはじめた。どうやら、早く『瞬間移動の謎』について聞きたくてうずうずしているらしい。

「ほら、お前ら急げよ。さっさと行くぞ」

ぱたぱたとどこか不器用な足取りで走って行く鷹央のあとを、僕は若菜とともにため息まじりで追ったのだった。


「すみません、あまりおかまいできなくて」

メガネをかけた気の弱そうな青年が、リビングテーブルの上に緑茶の入ったコップを置いた。この藤本一平《ふじもといっぺい》という名の青年こそ、若菜の友人で、殺害された関原桜子の同僚だということだった。看護学校の同級生ということでてっきり女性だと思い込んでいたのだが、よく考えたら最近は男性看護師も増えているので、そうとも限らなかった。

もしかしたら、この藤本っていう看護師、相馬さんの恋人だったり……？

この部屋を訪れたとき、藤本と若菜が親しげに会話していたのを思い出しながら、僕は気づかれないように二人を交互に見る。

数分前に鷹央、若菜とともにマンションの六階にある藤本の部屋にやって来た僕たち三人は、リビングでローテーブルを囲んでいた。

「結構良い部屋に住んでいるんだな。一人暮らしだろ？」

カーペットの上であぐらを組んで座る鷹央が、部屋中を無遠慮に見回しながら言う。

鷹央の言うとおり、たしかに一人暮らしにしてはかなり良い部屋だ。玄関からリビングを繋《つな》ぐ廊下に扉が三つあったところを見ると、トイレ・バス別の１ＬＤＫというところだろう。僕が住む１Ｋのマンションより遥かに広い。

「はい、ですけどそれほど家賃は高くないんですよ。築二十年以上経《た》っていますし、最寄り駅からも徒歩十五分以上かかりますからね。それに病院から住宅手当も出て、実質月六万円ぐらいで借りられています。それでも俺にとってはかなりの値段ですけどね」

藤本はテーブルを挟んで鷹央の対面に座りながら、こめかみを掻く。

「この高さなら海を見渡せますよね。朝とか景色が良いんじゃないですか」

僕が話を合わせると、藤本は少年のような笑みを浮かべた。

「はい、朝だけじゃなく、夜も窓を開けると波の音が聞こえて気持ちいいんです。少し高いけど、こっち側を選んで良かったです」

「こっち側？」意味が分からず、僕は聞き返す。

「ええ、このマンションには海側の部屋と、反対側の部屋が各階五部屋ずつあるんです。反対側の部屋に住んだら家賃は四万五千円で済むんですけど、あっちだと窓の外に病院がでかでかと見えちゃうんですよね」

「自分の部屋から職場が見えると、なんとなくリラックスできませんよね」

「そうなんですよ。それに、あっち側だと騒音が凄《すご》くて」
「騒音？」僕は首をかしげる。
「病院の側《そば》に太い国道が走っているじゃないですか。海の近くを真っ直ぐ走っている
し、交通量も少ないってことで、あそこで深夜にレースしている奴《やつ》らがいるんですよ。
午前二時とか三時とかに爆音をたてて走るから、かなり問題になっていて。警察も取
り締まりを強化してくれたおかげか、ここ一ヶ月ぐらいは大人しくしていたんですけ
ど、また最近になってレースを再開したらしくて……」藤本はゆっくり顔を横に振る。
「それより、関原桜子について話してくれよ。このマンションに住んでいたんだよ
な？」
しびれを切らしたのか、細かく体を揺らしながら鷹央が本題に入る。殺された同僚
の名前を聞いて、藤本の表情が硬くなる。若菜の口元にも力が籠もった。
「はい、そうです。関原さんはちょうどここの真下の部屋に住んでいました」
「ああ、そうなのか。だから警察が話を聞きに来たんだな」
鷹央がつぶやくと、藤本は露骨に顔をしかめた。
「すごくしつこかったです。まあ、上の部屋に住んでいるうえ病院の同僚なんで、し
かたないと言えばしかたないんでしょうけどね。事件があった日になにか異常がなか
ったかとか、関原さんの仕事での様子とか、根掘り葉掘り聞かれました」

「それで、どう答えたんだ？　事件があった日、なにか異常はあったのか？」

鷹央はあぐらから正座になると、テーブルに手をついて身を乗り出しはじめる。鷹央の異様な食いつきに、藤本は軽く身を引きながらおずおずと口を開いた。

「異常なら……ありました。たしか二月二十二日にちょうど日付が変わった頃です。俺がそろそろ寝ようとベッドに横になってスマホをいじっていると、どこからか女性の金切り声が聞こえて来て、そのすぐあとに大きな音が響きました。なにか重いものが倒れるような……」

「それが、関原桜子が襲われていた音だったのか？」

鷹央が確認すると、藤本は眉間《みけん》にしわを寄せる。

「警察はそう思っていたみたいですね。俺の他にも音を聞いた住人がいたらしいです。ただ、俺にはあれが本当に関原さんが襲われた時の音だったのか分かりません」

「ということは、警察は関原桜子は自分の部屋で殺害されたと考えているんだな」

鷹央が独りごちるようにつぶやくと、藤本は力なく頷いた。

「そうみたいです。噂では部屋の中に大量の血痕《けっこん》があったとか……。事件から数日間は、刑事とか鑑識の人がマンションにずっと出入りしていました」

「深夜にこの部屋で殺されて、遺体は翌朝に港で見つかったと……。たしか、遺体が発見された港ってここからかなり離れていたよな？」腕を組みながら鷹央はつぶやく。

「はい、十キロは離れていると思います。ただ、病院前の国道をずっと進んでいったところなんで、車を飛ばせばそれほどかからないで着くはずです」

答えた藤本を、鷹央は上目遣いに見る。

「それで、『瞬間移動』っていうのはどういうことなんだ？　いったいなんで、遺体が瞬間移動したなんていう話になっているんだ？」

鷹央の質問に、藤本はばつが悪そうに頭を掻く。

「いえ、それに関してはそんな話を聞いたっていうだけで……。この前、うちに刑事が来て、物音と金切り声を聞いたのは間違いないかって確認したんですよ。俺が間違いないって答えたら、刑事の一人が大きく舌打ちして、『なんだよ、それじゃあ遺体が瞬間移動したってことになるじゃねえか』とか言ったんです。意味が分かりませんでしたけど気になったんで、相馬さんから連絡があったときに、ついそのことも言っちゃって……」

「なんだよ。それじゃあ詳細は分からないのかよ？」鷹央は不満げな声をあげた。

「すみません、天久先生。藤本君から話を聞いて私、なにか不思議なことが起こって、そのせいで桜子の事件が解決できないんだと思って……。そんなとき、天久先生ならどんな不思議な事件も解決できるって聞いていたので……」

若菜は申し訳なさそうに謝罪しながら、体を小さくする。

「ああ、べつに謝る必要はない。刑事がそんなこと言ったんだから、なにかおかしなことが起こってはいるんだろ。ただそうなると、なんとか警察から話を聞く必要があるな……。今回の件、桜井《さくらい》がかかわっているといいけどな。ああ、関原桜子の遺体が発見されたのが先月なら、桜井が所属している班は捜査にかかわっていないか」

鷹央は何度か手を組んだことのある警視庁捜査一課殺人犯捜査係の刑事の名前をつぶやく。たしかに、今回の件にあの偽《にせ》コロンボがかかわっている可能性は低いだろう。警視庁捜査一課には十数個の殺人犯捜査係、通称『殺人班』があり、捜査本部が立つような重大事件があると待機中の班がその捜査にあたるはずだ。そして、関原桜子の遺体が見つかり捜査本部が立った時点では、桜井公康《きみやす》は多摩地区で起きた密室内で男が溺死《できし》した事件の捜査にあたっていた。

「まあ、警察から情報を集める方法はあとで考えるとして、とりあえず関原桜子のことを教えてくれ。関原桜子とは親しかったのか？」鷹央は顔を上げて藤本に訊ねる。

「いえ、看護学校の同級生でしたけど親しいってほどでは……。勤めているのも、彼女が産婦人科病棟で俺は外科病棟でしたから」藤本はどこかためらいがちにつぶやく。

「それじゃあ、関原桜子を恨んでいるような人間に心当たりはないか」

「関原さんを殺した奴なら……誰だか分かっています」

鷹央の問いに、藤本は低く押し殺した声で答えた。

「犯人が分かっている⁉」

僕は甲高い声をあげる。鷹央は目を丸くし、若菜は軽く腰を浮かした。

「あっ、いえ、犯人が誰だか分かっているわけじゃありません。けれど犯人はきっと、関原さんにつきまとっていたストーカーに違いありません」藤本は慌てて言う。

「ストーカー？　関原桜子は誰かにストーキングされていたのか？」

鷹央の質問に、藤本は大きく頷いた。

「三、四ヶ月前から関原さんの様子がおかしいって、同僚の看護師の間で噂になっていたんです。すごく暗くなって、仕事も上の空だったらしくて。だから同僚の一人がなにかあったのか訊いたらしいんです。そうしたら関原さん、『男に騙《だま》された。その男にストーキングされて困っている』って答えたとか」

「誰にストーキングされているかについては聞いていないのか？」

「その同僚の看護師が聞いた話では……、元恋人ということでした」

「元恋人？　ふった男がストーカーになったということか」

「はい、ただそれが誰なのかまでは知りません。関原さんが男と一緒にいるのを見たという話は聞いたことがありませんから。けれど、関原さんに恋人がいるという噂はありました。病院に入職して半年ぐらいの飲み会の席で、かなり酔った関原さんがぽつんと『恋人はいる』って漏らしたらしいです」

「その恋人についてなにか情報はないのか？」

「病院の中では……関原さんは不倫していたんじゃないかって言われていました」

藤本は歯切れが悪く言う。鷹央の目が訝《いぶか》しげに細められた。

「不倫？　関原桜子は妻帯者と付き合っていたってことか？」

「その飲み会のとき同僚の一人が関原さんに『その恋人と結婚する予定とかないの？』って聞いたんです。そうしたら関原さん、急にうつむいて『結婚はできないの。少なくともいまは』って答えたらしいんです」

「なるほど、恋人が妻帯者だから、少なくとも相手の離婚が成立するまで結婚はできないってことか。それなら、関原桜子の『男に騙された』という言葉も理解できるな。いつか妻と別れて結婚するとか言われてずるずると付き合ってきたが、相手には離婚する意思はなかった。そのことに気づいて別れようとしたが、相手はそれを拒んでストーカーになった。そして……」

鷹央はそこで言葉を切る。部屋に重い沈黙が降りる。

鷹央の推論はたしかに筋が通っていた。実際、そのように事件が起きた可能性は高いのだろう。けれど、そんな単純な事件なら、警察の捜査が混乱することはないはずだ。きっとなにか藤本の知らない裏があるのだろう。

「ベランダに出ていいか？」立ち上がりながら唐突に鷹央が言う。

「えっ、ベランダですか？」藤本は目をしばたたかせた。

「この下が関原桜子の部屋なんだろ。ちょっとベランダから下を覗《のぞ》きたいんだ」

「はあ……、かまいませんけど」

藤本は立ち上がると、ベランダへ繋がるガラス戸を開ける。夜の冷たい風が室内に吹き込んできた。鷹央は唇をへの字にしながら、ちょこちょこと小さな歩幅でガラス戸に近づいて行く。どうやら正座で足が痺《しび》れたらしい。ペンギンが歩いている姿が頭をよぎる。

「あの、藤本君。トイレ借りてもいいかな？」

鷹央がベランダに出ると、若菜が声を上げる。「ああ、もちろん」と答えた藤本に「ありがとう」と礼を言うと若菜は廊下に行き、扉を開けてトイレに入っていった。

「なあ、お前さ、相馬若菜の恋人なのか？」

鷹央が藤本の顔を見ながら言う。唐突な質問に僕は顔を引きつらせる。

「えっ？　あの、なんのことですか？」藤本はまばたきをくり返した。

「だからさ、お前は相馬若菜と付き合っているのかって訊いているんだよ。私たちみたいな初対面の人間を家に上げるのは、恋人に頼まれたからじゃないのか？」

「いえいえいえ、違いますよ。俺には故郷の群馬に高校時代から付き合っている恋人がいますから。相馬さんとはたんなる学生時代の同級生です。時々連絡を取り合ういい友達っていうだけですよ」藤本は胸の前で両手を振る。

「そうなのか。いやあ、こいつが相馬若菜を狙っているらしくてな。もしお前と相馬若菜が恋人同士なら、早めに知って諦《あきら》めた方が、無駄な努力をしないで済むだろ」

鷹央は僕の顔を指さしながら、とんでもないことを言い出す。

勝手に人の恋愛事情を漏らさないでくれ！

「ああ、そうなんですか。いやあ、相馬さんならお勧めですよ。すごく優しいし、真《ま》面目《じめ》な良い子ですから。関原さんみたいに手強《てごわ》くはないだろうし」

藤本の口調がわずかに軽くなる。

「ということは、関原桜子さんはかなり手強かったということですか？」

僕が疑問を口にすると、藤本の表情が硬くなった。

「……関原さんは僕みたいな同級生の男子には、かなり当たりがきつかったですよ。なんとなく同年代の男を馬鹿《ばか》にしているというか……、嫌っているというか……。だから、関原さんが不倫しているって噂を聞いたときは、やけに納得しちゃったんですよ。関原さんはもっと大人の男じゃないと魅力を感じない人だったんだろうなって」

「なんにしろ、お前は相馬若菜の恋人じゃないってことだな。良かったな小鳥。無駄な努力を続ける余地はあるみたいだぞ」鷹央はにやにやと笑いながら僕の背中を叩《たた》く。

「……ほっといてください」

なんで『無駄』って決めつけるんだよ……。

僕が口を尖らせると扉が開く音が響き、若菜がリビングに戻ってきた。

「すみません、お待たせして。あの……、どうかされました？」

僕たちから視線を浴びた若菜が、不思議そうに小首をかしげる。

「いやあ、小鳥がお前のことを……」

「鷹央先生！　ほら、なにか調べるんでしょ！」

僕は慌てて鷹央の声を遮る。鷹央は一瞬視線を彷徨《さまよ》わせたあと、「ああ、そうだった」とフェンスに両手をつき、身を乗り出して下を覗き込んだ。

「ああ、気をつけてくださいよ」僕は慌てて鷹央の肩に手をかける。

「大丈夫に決まっているだろ。子供扱いするな」

一瞬だけ振り返った鷹央は苛立《いらだ》たしげに言うと、再び下を覗き込みはじめた。

「優しいんですね」

隣にやって来た若菜が柔らかく微笑《ほほえ》む。その表情は、思わず視線をそらしてしまいそうになるほど魅力的だった。

「ところで、お前は関原桜子の部屋には行ったことはあるか？　親友だったんだろ？」

階下を覗き込んだまま鷹央が若菜にたずねる。

「……いえ、行ったことはありません。桜子は仲の良い友達でも家に入れようとしませんでした」

若菜はどこか哀《かな》しげな表情で答えた。関原桜子が不倫をしていたとすれば、自宅に他人を入れないようにしていたのも納得できる。不倫相手が特定できるような物が部屋に置かれていたのかもしれない。

「そういえば、事件から一ヶ月も経つのに、関原さんの部屋、まだ事件当時の状態みたいですよ。なんでも部屋のオーナーが海外にいるんで、清掃の手続きができていないらしくて。上の部屋の住人としては、気味が悪いんで早くきれいにしてほしいんですけど」

藤本は顔をしかめながらつぶやいた。

「……へえ、そうなのか。小鳥、もういいぞ、手をはなせ」

フェンスの奥の観察を終えた鷹央に声をかけられ、僕は手を引く。鷹央は満足げに頷きながらリビングへ戻ると、「それじゃあ行くぞ」と、そのまま玄関に向かった。

「えっ、もう帰るんですか?」僕はリビングへと入りながら訊ねる。

「とりあえずここで集められる情報は手に入れたからな。一度帰って、今後の方針について考えてみる」

鷹央は玄関扉を開け、「それじゃあ邪魔したな」と言い残して部屋から出て行った。僕は若菜とともに慌てて玄関に向かうと、藤本に「お邪魔して申し訳ありませんでした。お話ありがとうございました」と頭を下げて扉を開いた。

内廊下を小走りで進んだ僕と若菜はエレベーター前で鷹央に追いつき、一緒に一階まで降りる。エレベーター内でも、エントランスにある管理人室の前を通ってマンションから出るときも、鷹央は腕を組んだままなにやら口の中でぶつぶつとつぶやいていた。藤本から得た情報を頭の中で整理しているのだろう。

僕と若菜は邪魔をしないように無言のまま鷹央の隣を歩いていく。港南臨海総合病院の駐車場に入ったとき、うつむいていた鷹央が顔を上げた。

「あっ、そうだ。せっかくこの辺りまで来たんだし、ちょっと兄貴に会いに行こうかな」

「は？　お兄さん？」あまりにも唐突なセリフに、僕は目を見張る。

「ああ、兄貴が横浜の方に住んでいてな、ここからなら車で三十分もかからないはずなんだ。最近会っていないから、ちょっと顔を見せようかなと思って」

「鷹央先生、お兄さんがいるんですか？　真鶴《まづる》さんと二人姉妹じゃ……」

「ああ、姉ちゃんの上に精神科医をやっている兄貴がいる。なあ小鳥、ちょっと兄貴のうちまで車で行ってくれないか？　べつに今夜は予定ないだろ」鷹央は早口で言う。

「いえ、僕は予定はないですけど、相馬さんが……」

僕はちらりと若菜に視線を向ける。さっき聞いた話では、若菜は明日、早出の勤務で朝六時には病棟に行く必要があるということだった。

「ああ、明日早出だったな。じゃあ、あまり遅くまで付き合わせるのは悪いか。けど、兄貴には会いたいし……」珍しく常識的な判断をした鷹央は、難しい顔で考え込む。

「あっ、気になさらないでください。私、そこのタクシーで最寄り駅まで行って、そこから電車で帰りますから」

若菜は病院の入り口近くで待機している数台のタクシーを指さす。

「いいのか？　悪いな」鷹央は申し訳なさそうに、こめかみを搔く。

「いいえいいえ。私のわがままで天久先生にここまでしていただいているんですから。それに、天久先生が行ったらお兄さんきっと喜びますよ」

若菜ははにかみながら言うと、「それじゃあ、失礼します」と一礼してタクシー乗り場に向かって歩き出した。僕は若菜がタクシーに乗るのを見送る。

「相馬若菜が帰って残念だったな。本当なら、私を天医会総合病院でおろしたあと、相馬若菜を自宅まで送って、その間に仲良くなろうとか目論んでいたんだろ」

若菜を乗せたタクシーが行くと、鷹央がからかうように言った。たしかにそんな妄想をしていなかったわけでもなかったので、言葉に詰まってしまう。

「おっ、黙ったところをみると図星か。まったく、時と場所をわきまえず発情しやがって。これだから男って生き物は。私も襲われないように気をつけないとな」

鷹央はおどけるように言いながら鼻を鳴らす。

「どれだけ信用ないんですか、僕は？　安心してください。間違っても鷹央先生を襲うようなことはありませんから」

「……どういう意味だよ、それは？」鷹央の目が不機嫌そうに細められる。

「そのままの意味ですよ。それより、さっさと車に乗ってください。お兄さんのところに行くんでしょ。ナビに打ち込みますから住所教えてください」

「兄貴なんかに会いに行くわけないだろ。あれは相馬若菜を先に帰すための方便だ」

「え？　なに言って……？　もしかして、お兄さんがいるって話も嘘《うそ》ですか？」

混乱した僕が訊ねると、鷹央は露骨に顔をしかめた。

「兄貴がいるのは本当だよ。ただ、どこに住んでいるかなんか知らないし、もし知っていたとしても、誰が好きこのんであんな妖怪《ようかい》に会いに行くかよ」

「妖怪？」

「サトリだよ。人の心を読む妖怪だ。知っているだろ」

「まあ、聞いたことはありますけど……」

「うちの兄貴はその妖怪みたいな奴なんだよ。人の顔見ただけで、こっちが考えていること読みやがってさ。気色悪い。なんにしろ、兄貴とはそりが合わないから何年も前から没交渉だ。まあ、姉ちゃんはちょこちょこ連絡とっているみたいだけどな」

「でも、なんで相馬さんを先に帰す必要があったんですか？」

僕が訊ねると、唇を尖らせていた鷹央の表情ににやーっと笑みが広がっていく。

「危ない橋渡るのに巻き込んだらかわいそうだろ」

「……危ない橋を渡るつもりなんですね。……あと、僕を巻き込んでもかわいそうだとは思わないんですね」

僕は大きなため息をつく。危険なことなどしたくはなかったが、鷹央が説得に応じるわけがないし、鷹央を一人で放っておくと何をしだすか分かったものじゃない。結局僕も鷹央の暴走に巻き込まれることは既定路線なのだ。

「それで、なにをするつもりなんですか？」

悟りの境地に達したような心持ちで僕が訊ねると、鷹央はさっき出てきたばかりのマンションを力強く指さした。

「事件現場を見に行くぞ！」

「やばいです、さすがにこれはやばいですって！」

体を小さくして廊下を進みながら、僕はすぐ前を歩く鷹央に小声で言う。

「でっかい図体《ずうたい》して肝の小さな奴だな。大丈夫だって、もうちょっと堂々としていろよ」

鷹央は首だけ振り返って言う。

「堂々とって……」

絶句しつつ、僕は鷹央とともに廊下の先にあるリビングへと入った。そこに広がっていた光景を見て僕は息を呑《の》む。部屋の中心に置かれたカーペット、そこに歪《ゆが》んだ円形に赤黒い染《し》みが広がっていた。おそらくは……血痕。ゆうに直径五十センチはあるであろうその大きさが、大量の出血があったことをうかがわせる。

「なるほど、この部屋が事件現場というのは間違いなさそうだな」

リビングを見回しながら鷹央がつぶやく。そう、僕たちはいま関原桜子の部屋にいた。

十数分前、「事件現場を見に行くぞ」と宣言した鷹央は、「どうやってですか?」という僕の質問を黙殺し、ついさっき出てきたばかりのマンションへと向かった。一階エントランスに着いた鷹央は、そのまま つかつかと管理人室へと近づくと、帰り支度を整えていた中年の管理人に向かって言った。

「私は警察関係者だ。関原桜子の部屋を見せてくれ」

あまりのことに僕が硬直している前で、管理人は受付窓口のガラス越しに、胡散臭《うさんくさ》そうに鷹央に視線を向けた。小柄で童顔のため女子中高生にしか見えないうえ、セーターにジーンズというラフな格好の鷹央が『警察関係者』などと名乗ったのだから、その反応も当然だった。

管理人が「おたく、本当に警察のかたなんですか？」と疑わしげに訊ねてくると、鷹央は「最近は若い女の刑事も増えているんだ」「目立たないように、こんな服装をしている」「捜査を妨害するなら、管理会社に報告しないといけない」などと適当なことを並べ立てた。結局、管理人は鷹央への不信感を全身から発散させながらも、マスターキーで関原桜子の部屋の扉を開けてくれたのだった。

「ここが事件現場だってことはわかったでしょ。早く帰りましょうよ」

僕は部屋を見回している鷹央に声をかける。これは明らかに不法侵入だ。しかも、『警察関係者』を詐称《さしょう》している。下手をすれば逮捕されてもおかしくはない。脳裏に『医師二人が不法侵入で逮捕！　素人《しろうと》探偵気取りで事件現場に侵入か？』という記事の見出しが躍る。

「うるさいな。集中できないだろ。少しは落ち着けよ」

「落ち着けるわけないでしょ。警官だって名乗って、不法侵入しているんですよ！」

「私は自分が警官だなんて名乗っていないぞ。『警察関係者』だって言ったんだ。何度も警察には協力してやっているんだ、ある意味『関係者』だろ。あの管理人が勝手に警官だって勘違いしてこの部屋に入れてくれたんだ」

鷹央は胸を張って言う。そんな屁理屈《へりくつ》が警察に通用するとはとても思えなかったが、僕は口をつぐむ。ここで意味のない討論をしているよりは、さっさと鷹央に調べたいことを調べさせて帰った方が利口だ。僕が黙ったのを見て、鷹央は満足げに口角を上げると、再び部屋の観察を再開する。僕も室内に視線を這《は》わせていく。

間取りは藤本の部屋と完全に同じだった。廊下の奥にリビングが広がり、窓からは暗い海が見える。廊下にはそれぞれ、トイレ、バスルーム、そして寝室に繋がっているであろう三つのドアがあった。

リビングに置かれた家具はシックな色使いのものが多かった。元々は落ちついた雰囲気の空間だったのだろう。しかし、室内はまるで竜巻でも発生したかのようにダイニングテーブルの椅子、テレビ、本棚などが倒れ、床には大量の書籍やソファーに置くクッションが散乱していた。おそらくは発見当時の状態が保存されているのだろう。この部屋の中で大きなトラブルがあったのは間違いなかった。

いつの間にか鷹央はリビングのガラス戸を開けてベランダに出ていた。数十秒ベランダを見回すと、鷹央は満足げにうなずいて室内に戻ってくる。

「鷹央先生、もう十分でしょ。そろそろおいとましましょうよ」

「ああ、そうだな。とりあえず見るべき所は見たかな」

これでようやく帰れる。胸を撫で下ろしたとき、背後からガチャリと音が響いた。僕は全身を震わせると、錆《さ》び付いたかのように動きの悪い首関節を回して後ろを見る。

玄関の扉が開き、そこに二人のスーツ姿の男が立っていた。よく見ると、男たちの後ろにはあの管理人の姿も見えた。

「あの二人です。警察だって言って、この部屋に入ったのは」

管理人が僕たちを指さす。二人の男は冷たい視線を僕と鷹央に向けてきた。男たちの正体はすぐに予想がついた。この事件を捜査している刑事たちだろう。きっと管理人が、怪しい二人組（僕たちのことだ）が事件現場にやってきたと刑事に連絡したのだ。

男の一人がぺろりと唇を舐《な》めると、ゆっくりと廊下を進んでくる。銀縁のメガネをかけた痩《や》せた男だった。メガネの奥の細い目が、温度を感じさせない視線を放っている。その風体はなんとなくトカゲを彷彿《ほうふつ》させた。

「……ちょっと署まで来てもらうぞ」

目の前まで来たトカゲ男は、抑揚のない口調で言った。

3

いつまで待てばいいんだろう。取調室の白い壁を眺めていた僕は、腕時計に視線を落とす。時刻は午後十時半を回っていた。

関原桜子の部屋にやって来た刑事たちに任意同行を求められた僕たちは、彼女の事件の捜査本部が立っている大森署まで連行された。鷹央のことだから『厳密には私は何一つ法を犯していない。任意なら従わない』とか屁理屈を言い出すかと危惧《きぐ》したが、そんなことはなかった。それどころか、どこか積極的に同行に応じたような感じさえあった。あそこで揉《も》めたら逮捕される可能性も十分にあったのでそれは良いのだが、素直に人の指示に従っている鷹央に、なぜか僕は不安をおぼえていた。

トカゲ顔の刑事は僕と鷹央をこの部屋に連れてくると、「ここで待っていろ」と言って姿を消した。それから僕はこの部屋で一時間以上、落ち着かない時間を過ごしていた。

僕は隣の鷹央を見る。パイプ椅子に腰掛けている鷹央は、腕を組んで目を閉じていた。瞼《まぶた》がぴくぴくと動いているところを見ると、その下では眼球がせわしなく動いているようだ。さっき見た関原桜子の部屋を脳内で再生し、観察し直しているのだろう。一度見た光景を写真のように頭の中で正確に再現して、見返すことができるという特殊能力を鷹央は持っている。カメラアイとかいう能力らしいが、いったいどんな脳みそをしていたらそんなことができるのだか。そのとき、ガチャリという音が響き、扉が開いた。扉の外の人物を見て、僕の口から「あっ……」という呆《ほう》けた声が漏れる。

「どうもどうも、天久先生、小鳥遊《たかなし》先生、お久しぶり……ってほどじゃありませんね」

　ひどい猫背で、鳥の巣のようなもじゃもじゃ頭の中年男、警視庁捜査一課殺人班刑事の桜井は軽い口調で言う。

「おお、桜井」目を開けた鷹央が軽く手をあげた。

　去年の七月に起こった「宇宙人にさらわれた」という男が起こした殺人事件、そして先月起こった密室で男が溺死していた事件の際に、僕たちはこの桜井と協力して捜査にあたっていた。それらの事件を鷹央が超人的な頭脳で解決していくのを目の当《ま》たりにしたせいか、桜井は鷹央に一目置いているふしがある。

「桜井さんも関原桜子さんの事件を担当しているんですか？」

　僕の問いに、桜井は大きくかぶりを振った。

「いえいえ、今回の事件には私の所属する班はかかわっていません。ただ、事件現場に侵入していた怪しい二人組が、私の知り合いだと話しているって連絡が入ったもので、慌てて自宅から飛んできたんですよ。ねえ、寺田《てらだ》君」

　桜井が振り返ると、トカゲ顔の刑事が取調室に入ってきた。

「本当に桜井さんの知り合いなら、身元を確認する必要が省けますから」

　寺田と呼ばれた刑事は、メガネの奥から値踏みするような視線を投げかけてくる。

「この方々のことなら私が保証するよ。しかし、相変わらずお二人はおかしな事件に頭を突っ込みますねぇ」桜井は苦笑を浮かべながら、皮肉っぽく言う。

「私から頭を突っ込んでいるわけじゃない。おかしな事件について調査して欲しいっていう依頼が舞い込んでくるんだ。私はしかたなくそれに応じてやっているだけだ」

嘘つけ。ちょっとでも好奇心が刺激されたら、思い切り前のめりで事件に突撃していくくせに。しれっと言う鷹央に、僕は湿った視線を投げかける。

「寺田君、とりあえず夜も遅いし、今日のところはお二人にお帰りいただいたらどうかな？　捜査一課長もお二人のことはご存じだって言っていたでしょ」

桜井がありがたい提案をする。しかし、寺田はほとんど表情を動かさないまま、かすかに首を左右に振った。

「そういうわけにはいきません。この二人は警察官だと名乗り、事件現場に不法に侵入した。つまり、事件の容疑者だ。容疑が晴れない限り、しっかり取り調べさせていただきます」

淡々と言う寺田の態度からは、手心を加えるつもりはないという決意が伝わってきた。

「容疑者？　私たちが関原桜子を殺したって疑っているのか？」

鷹央は不思議そうに自分を指さした。

「あの部屋に残した証拠を隠滅しようとして侵入した。その可能性も否定できない。

怪しい人間は徹底的に調べさせてもらう」

「はは、捜査が行き詰まっているから、とりあえず怪しい奴を片っ端から調べようってわけか。あのな、『下手な鉄砲も数打ちゃ当たる』っていっても、それはあくまで銃口が的の方向を向いている場合だけだぞ」

「俺が見当違いの捜査をしているって言うつもりか？」

寺田の目がすっと細くなった。ヘビが小動物を襲うときのような目つきに、背筋に震えが走る。しかし、鷹央は気にするそぶりも見せず胸を張った。

「そうだ。お前がやるべきなのは私を容疑者として取り調べることじゃなく、私に情報を提供して協力を仰ぐことだ」

「……あんたの協力でおかしな事件がいくつか解決したって噂《うわさ》は耳に入っているよ。俺だってべつに頭が硬い方じゃない。本当に事件解決の助けになるなら、秘密裏に情報を提供して協力を仰ぐことを検討してもいい。けれどな……」

寺田はあごを引いて鷹央を睨《ね》め付ける。

「それはあくまで、あんたらが関原桜子殺害にかかわっていないと証明されたらだ。それまで、俺はあんたたちを容疑者として扱わせてもらう」

寺田の宣言を聞いた鷹央は唇の端を上げた。

「警察は事件が起こったのは、先月の二十二日の午前零時頃だと考えているんだな？」

鷹央の質問に、寺田はかすかにうなずく。

「それじゃあ、私たちにはアリバイがある。証人はこいつだ」

鷹央は桜井を指さした。桜井は目を丸くしながら「えっ？　私ですか？」とつぶやく。

「おい、もう忘れたのかよ。先月の二十二日の午前零時なら、私と小鳥はお前と一緒に多摩の病院に潜んでいたじゃないか」

呆《あき》れ顔で言う鷹央の言葉を聞いて思い出す。先月、密室内で男が溺死した事件の調査をした際、とある人物の犯罪を暴《あば》くため、僕たちは桜井とともに深夜の病院に潜んだ。言われてみれば、あれは二十一日の深夜から二十二日の未明にかけての出来事だった。

「えっとですね……、ああ、たしかにあれが二十二日の未明でしたね」

しわの寄ったコートのポケットから取り出した手帳をぱらぱらとめくった桜井は、大きく頷《うなず》きながら言う。そんな桜井に寺田は問いかけるような視線を向けた。

「寺田君、いま君が捜査しているヤマの犯行時刻には、このお二人は私と一緒にいて、捜査に協力してくださっていたんだよ。ほら、あの鍵《かぎ》の閉まっていた部屋で男が溺死していたって事件。君も聞いているだろ」

「……たしかですか？」寺田が疑わしげにつぶやく。

「間違いないよ。お二人のアリバイは完璧《かんぺき》だ」桜井は大仰に両手を広げる。

「これで分かっただろ。私は証拠を消すためにあの部屋に侵入したんじゃない。事件の真相を探るために調べていたんだ。さて、約束通り事件について話を聞かせてくれ。そうしたら、私が解決してやろう」

鷹央は嬉々《きき》として身を乗り出す。その姿を見て、なぜさっき寺田に任意同行を求められた際、鷹央が素直に従ったか分かった気がした。捜査本部のあるこの大森署まで連行されれば、警察から情報を得られるかもしれないとでも考えたのだろう。

寺田は無表情のまま鷹央を凝視する。部外者である鷹央に情報を提供するリスクとメリットをはかりにかけているのかもしれない。

「寺田君、なかなか手強い事件なんだろ。だったら天久先生に相談するのをお勧めするよ。きっと、事件解決の助けになってくださる。それにこのお二人は口は固い。君が情報を流したことが他人に漏れるようなことはないよ。そこは私が保証する。まあ、班が違う私のアドバイスを聞くのは抵抗あるかもしれないけれどね」

桜井は諭すような口調で言う。これまで事件解決に協力したことで、鷹央をかなり信頼しているようだ。『使い勝手の良い手駒《てごま》』とでも思っている可能性も高いが。

「……分かりましたよ。桜井さんがそこまで言うなら」

数十秒黙り込んだあと、寺田はパイプ椅子《いす》に腰かけながら、渋い表情でつぶやいた。

聞くところによると、同じ警視庁の捜査一課刑事でも、所属する班が違うと反目することも多いらしい。それなのに他の班の刑事を説得できたところを見ると、思いのほか桜井は信頼されているようだ。たしかに、そのうだつの上がらない風貌《ふうぼう》に反して、かなりやり手である印象は受けていた。

「遺体が『瞬間移動』したっていうのは本当なのか⁉」

話がまとまったのを見て、鷹央はいきなり椅子から腰を浮かしながら、核心の質問を口にする。寺田は鼻の付け根に深いしわを刻んだ。

「誰がそんなことを言って……」

「誰でもいいだろ。それより、どうなんだ。『瞬間移動』は本当にあったのか？」

憎々しげにつぶやく寺田の声を遮ると、鷹央は早口で言う。

「……『瞬間移動』なんてありえない。ただ、遺体の移動方法が分からないから、所《しょ》轄《かつ》の奴らが馬鹿な憶測を口にしているだけだ」寺田は舌を鳴らした。

「へえ、『瞬間移動』ですか。これはなかなか面白そうな事件ですねえ」

桜井が自分もパイプ椅子に腰掛けながら、おどけるような口調で言う。

「なんだよ、お前も話を聞いてくつもりか？　この事件の担当じゃないんだろ」

鷹央は桜井に視線を向ける。

「とくに今夜はやることないですから。多摩で私の班が担当していた捜査本部は、どなたかのおかげで事件が解決して解散となりました。新しい重大事件が起きて捜査本部が立つまでは、私の所属している班は待機です。というわけで、せっかくここまで来たんだし、話ぐらい聞いていこうかと」

「好きにしろ。それより早く事件について聞かせてくれ。遺体の移動方法が分からないっていうのはどういうことだ？」

鷹央に水を向けられた寺田は、メガネの位置を調整しながら血色の悪い唇を開いた。

「関原桜子は自宅マンションで、二十二日の午前零時過ぎに襲われたと考えられている。そして、その遺体はその日の午前九時半頃、マンションから十キロほど離れた港で海釣りに来た男に発見された」寺田は報告書を読むような口調で淡々と説明をはじめる。

「犯行時間は間違いないのか？」鷹央が鼻先を掻《か》きながら訊ねた。

「間違いないはずだ。マンションに住む複数の住人が、その時間に大きな物音と女性の悲鳴のような声を聞いたと証言している」

「それだけで犯行時間を断定するのは危険じゃないか。犯人が犯行時間を誤魔化すためになにか工作をした可能性だって否定できない」

「ＤＶＤレコーダーが、その時間に犯行があったことを裏付けているんだ」

「ＤＶＤレコーダー？」鷹央は小首をかしげた。

「ああ、そうだ。関原桜子の部屋に置かれていたDVDレコーダーが破損していた。調べたところ血痕が付着していて、さらに関原桜子の遺体の頭にあった傷とレコーダーの角の形状が一致した」

「つまり、関原桜子はそのDVDレコーダーで殴られたということか？」

「殴られたのか、それとも倒れた際に打ちつけたのかは分からない。重要なのは、事件が起きた際に関原桜子がそのDVDレコーダーで深夜ドラマを録画していたことだ。しかし、衝撃で録画は途中で止まってしまっていた。このことは科捜研の分析によって証明されている。そして、その録画が止まったシーンは二十二日の午前零時九分に放映されていたものだと分かった。その時刻は、最後に一際《ひときわ》重い音が響いて、それで静かになったというマンションの住人たちの証言とも一致している。関原桜子は二十二日の午前零時九分にDVDレコーダーによって頭部を強打し、昏睡《こんすい》したのは間違いない」

「その頭部の傷が死因か？　その傷からあんな血痕ができるぐらい出血したのか？」

早口で訊ねる鷹央に向かって、寺田は首を左右に振った。

「いや、司法解剖した結果、頭蓋骨《ずがいこつ》にごく小さいひびは入っているものの、致命傷になるような傷でもないし、そこまで大量に出血することもないということだった」

「じゃあ、死因はなんなんだ？　あの出血はどこから出たものなんだ？」

「死因は出血多量によるショック死の可能性が高いらしいが、どこから出血したものか分かってはいない」

「出血源がわからない？　あんなに大量に出血したのに？」鷹央は眉《まゆ》をひそめる。

「港で発見された遺体はテトラポッドに引っかかるような状態で遺棄されていた。そして、胸から下は海面に沈んでいたんだよ」

低い声でつぶやいた寺田の言葉の意味を理解して、僕は顔をしかめる。

「それって、もしかして……」

僕がかすれた声を絞り出すと、寺田は気怠《けだる》そうにあごを引いた。

「ん？　どういうことだよ？」

行間を読むのが苦手な鷹央は、不思議そうな表情で僕と寺田を交互に見る。

「だから、遺体が魚とかに……」

「ああ、魚や甲殻類などによる遺体の損傷が激しすぎて、出血源がはっきりしないということか」

鷹央は胸の前でぽんっと両手を合わせた。その様子を見た寺田が、「こいつ、本当に大丈夫なんですか？」というように、隣に座る桜井に視線を向ける。桜井はそっぽを向いて寺田の視線に気づかないふりを決め込んだ。

「司法解剖では頭の傷以外に大きな傷は見つからなかったのか？」

白けた取調室内の空気を気にするはずもなく、鷹央は質問を重ねる。

「……あとは遺棄されたときにテトラポッドにぶつかってできたと思われる擦り傷ぐらいだ。大きな外傷は認められなかった。ただ、腹部がひどく損傷しているので、そこに大量出血を引き起こした傷があった可能性が高いということだった」

「なるほどな。それじゃあ警察は関原桜子が頭を打って昏睡したあと、どんなことが起こったと考えているんだ？」

鷹央が水を向けると、寺田は数秒黙ったあと、つまらなそうに語り出した。

「犯人は気絶した関原桜子に暴行を加えたと考えられている」

「……それは性的暴行ということか？」

鷹央が低い声で訊ねると、寺田はかぶりを振った。

「いや、違う。強姦《ごうかん》された痕跡は見つからなかった。そうではなくて、おそらく腹を強く蹴《け》るかなにかしたはずだということだ」

「なんでそう思う？」

「関原桜子の部屋で見つかった大量の血痕の中に少量、胃液や消化された食物が混じっていたからだよ。関原桜子は出血だけでなく嘔吐《おうと》もしていたんだ。俺たちの見解はこうだ。頭を打って気絶した関原桜子は犯人から腹部を何度も蹴られて嘔吐をし、ついには腹部をナイフで刺されて大量に出血する。犯人は瀕死《ひんし》の関原桜子を用意していた巨大なバッグかスーツケースに詰め込むと、車で港に向かい、そこで遺棄した。それが捜査本部の見解だ」寺田は一息に言う。

「状況から考えて自然な見解だろうな。マンションに防犯カメラはないのか？　あったら犯行時刻以降で人が入るような大きな荷物を持っているのが犯人だ。事件解決だろ」

　鷹央のセリフに、寺田はその爬虫類《はちゅうるい》っぽい顔を露骨にしかめた。

「そうだ。防犯カメラだ。それが問題なんだよ」

「なんだ？　防犯カメラは設置されていなかったのか？」

「いや、エントランスと非常階段、両方に一つずつ設置されていた。あのマンションから外に出るためには、どちらかの防犯カメラに絶対に映るはずだ。ただ、……エントランスの防犯カメラが問題だったんだ」

　寺田は苛立たしげに言うと、懐《ふところ》からスマートフォンを取り出して操作しはじめる。

「ん？　スマートフォンに映像を入れているのか？　そんなことしていいのか？」

「基本的にはよくない。けれどな、こんな映像ならしかたないだろ。持ち歩いて何度も見なけりゃ、これから情報なんて引き出せないんだよ」

　寺田はスマートフォンの液晶画面をこちらに向けてくる。そこに映し出された映像を見て、鷹央が「なんだ、こりゃ？」と甲高い声をあげた。

それはおそらく、あのマンションのエントランスを撮影した映像だった。マンションに出入りする人々を斜め上から撮っている。しかし、それらの人々の顔は絵の具の上に水滴を垂らしたかのように滲《にじ》んで、人相を確認することはできなかった。映っている人物が男か女か区別するのが関の山だ。

「カメラを調べたところレンズが破損していた。管理人によると、マンションに住む子供たちがエントランスでサッカーボールを蹴っていることがよくあるので、そのボールがぶつかったんじゃないかということだった」

寺田はいまいましそうに説明する。

「非常階段のカメラはどうだった？　そっちも故障していたのか？」

鷹央が訊ねると、寺田は首を左右に振った。

「いや、そちらはちゃんと作動していた。けれど、二十二日の零時から死体発見時刻まで、非常階段から出入りする人間は映っていなかった」

「なるほどな。それじゃあ、犯人は関原桜子を殺害したあと遺体を正面玄関から運び出したが、残念ながら防犯カメラでそいつの人相は確認できなかったってことか？　たしかにそれは不運だったが、べつにおかしな点はないだろ。『瞬間移動』っていう話はどこから出てきたんだよ？」

鷹央は口を尖《とが》らせながら訊ねる。早く『謎』の核心に触れたくてうずうずしているのだろう。寺田はつまらなそうに言葉を続けた。

「司法解剖によると、関原桜子の遺体は少なくとも五時間程度は海に浸かっていたということだった。つまり、遅くとも二十二日の午前五時の時点では、関原桜子はテトラポッドの隙間に遺棄されていたということだ。防犯カメラの映像を確認したところ、事件時刻から午前五時までの間に、あのマンションから十二人の人物が出て行っている。零時台に六人、一時から三時に四人、そして三時から五時に二人だ」

寺田はそこで言葉を切ると唇を舐めた。トカゲがちろちろと舌を出す姿が頭をよぎる。

「その十二人は全員が手ぶらか、片手で持てる小さなバッグしか持っていなかった。誰一人として、関原桜子を中に押し込めることができるような巨大なバッグなんて持っていなかったんだよ。ぶれた映像でも、バッグを持っているかぐらいはわかるからな」

「え？　じゃあ、どうやって関原桜子の遺体は外に運び出されたんですか？」

僕が口を挟むと、寺田は苛立たしげにかぶりを振った。

「それが分からないから苦労しているんだ。あとな、運び出されたのは関原桜子の『遺体』じゃない」

「どういうことだ？」鷹央を訝しげに目を細める。

「港に遺棄されたとき、関原桜子は生きていたんだよ。テトラポッドでついた擦り傷に生体反応があったって解剖医が言っていた。まあ、その時にはすでに失血死寸前だっただろうってことだったけどな」

「それじゃあ、防犯カメラに映っていた人物の一人が関原桜子だったんじゃないか？犯人は部屋で関原桜子を刺して殺したつもりになっていた。けれど、まだ死んでいなかった関原桜子は助けを呼ぼうと必死にマンションの外に出た。そこを犯人に見つかって拉致《らち》され、港に遺棄された。まあ、本当なら外に行かず家で通報するべきだけど、混乱した人間は理に合わないことをするものだ。あり得なくはないだろ」

「それくらい俺たちだって考えた。けれど、関原桜子の部屋以外にあのマンションから血痕は発見されなかったんだよ。室内であんな大量に出血していたんだぞ。外に出たとしたら廊下、エレベーター、エントランス、あらゆるところに血痕が残ったはずだ」

虫でも追い払うかのように手を振ると、寺田は言葉を続ける。

「それにな、遺体が身につけていたTシャツは血で真っ赤に染まっていた。けれど、マンションから出て行った奴《やつ》らの中に赤っぽい服を着た奴はいなかったんだよ」

説明を聞いた鷹央は腕を組みながら口を開く。

「部屋にあった血痕は、間違いなく関原桜子のものなのか？」

「動物の血でもばらまいたんじゃないかってことか。それも検討済みだ。科捜研が調べた結果、あの部屋にあった大量の血はすべて関原桜子のものだった。ちなみに、前もって採血して血液を保管しておいて、それをばらまいたなんてこともない。血液を保管する際に必要な物質は検出されなかったってよ。二十二日の未明、あの部屋で関原桜子が大量に出血したのは間違いないんだよ」

「そうか……」鷹央は数秒黙り込んだあと、寺田の顔を覗き込む。「犯人が刺されて動けなくなっている関原桜子を、窓から投げ落としたりロープで吊《つる》したりして、下におろしたって可能性はどうだ?」

「関原桜子のＤＶＤレコーダーがぶつかってできた頭蓋骨の小さなひび以外、骨折はみつからなかった。事件現場は五階だ、もしそこから落としたら骨折しないわけがない。それに鑑識が必死になって、あの部屋だけじゃなく、マンションを隅々まで調べたが、ロープなどの道具を使って重いものを下ろした形跡はなかった。そもそも……」

「そもそも、そんな他人に目撃されるリスクを負ってまで、関原桜子を外に運び出す理由がないか。普通、被害者を移動させるのは、事件現場を誤魔化したり、遺体を隠して事件の発覚を防ぐために行うものだ。けれど、今回はどちらも当てはまらない」

鷹央が独りごちるように寺田の説明を引き継ぐ。寺田は薄い唇を歪めた。

「そうだ。犯人が何故《なぜ》、そしてどうやって関原桜子を港まで運んで遺棄したか、どれだけ調べても分からない。たしかに、……まるでガイシャが瞬間移動したかのようだ」

憎々しげにしぼり出した寺田のセリフを聞いた鷹央は、難しい表情で考え込みはじめる。それを見て、寺田は小馬鹿にするように鼻を鳴らした。

「それであんたは、どうやって犯人が関原桜子をマンションから港まで移動させたか分かったのか？」

「話を聞いただけですぐに分かるわけないだろ。いまから集めた情報を整理して、なにが起きたか推理するんだよ。事件を早く解決させたいなら、私の思考の邪魔をするな」

鷹央のいらだたしげな言葉に、寺田は鼻白むような気配を浮かべながらも口をつぐむ。そんな寺田の前で、鷹央は「ああ、そうだ」と手を合わせた。

「警察は犯人の目星はついていないのか？　関原桜子がストーキングされていたとかいう話は聞いているんだろ」

「もちろん知っている。この二、三ヶ月、関原桜子は周りに、男にストーキングされて困っていると漏らしていたらしい」

「関原桜子が既婚者と付き合っていた可能性が高いことは？」

鷹央が重ねて質問すると、寺田は「なんでそんなことまで知っているんだ？」というような目つきで鷹央を睨《にら》んだ。

「警察を舐めるなよ。お前たちが調べられるような情報は全部集めているんだよ。関原桜子はおそらく不倫していて、その男との関係を清算しようとしていた。別れ話がもつれてその男はストーカーになり、結局関原桜子を殺害した。それが捜査本部の見解だ」

「で、その不倫相手は誰だか分かっているのか？」

鷹央が訊ねると、寺田の表情に逡巡《しゅんじゅん》が走った。捜査の状況をそこまで漏らしていいのか迷っているのだろう。

「まあまあ寺田君。ここまで言っちゃったんだから、全部教えて差し上げなよ。大丈夫大丈夫、このお二人は情報を漏らすかたじゃないからさ」

軽い声で言う桜井に、寺田は「他人事《ひとごと》だと思って……」と恨めしげな視線を向ける。

「……相手が誰だかは分かっていない。ただ、関原桜子が勤めていた港南臨海総合病院の医師じゃないかと考えている」

寺田は渋々と話しはじめた。なんだかんだ言って桜井の助言には従うらしい。

「ん？　なんでだ？」鷹央は小首をかしげた。

「関原桜子の携帯電話を調べたところ、メールはほとんど見つからず、消去した形跡もなかった。関原桜子は直接電話で話すタイプだったらしい。そして通話の相手は同僚の看護師や学生時代の友人など、女がほとんどで、定期的に電話をかけている男は見つからなかった」

「なるほど。電話をしないのは毎日のように職場で会えるからというわけか」

鷹央がつぶやくと、寺田は頷いた。

「その可能性が高い。既婚者で関原桜子と比較的頻繁に顔を合わせていた男、その条件に合致する人物を俺たちはリストアップしている」

「けれど、条件に合う人物なんて何人もいるんじゃないか？　どうやって最終的に犯人かどうか判断するつもりだ？」

鷹央がごく当然の質問をすると、寺田は得意げに唇の片端をあげた。

「ある程度容疑者がしぼれれば、ＤＮＡを調べればいい」

「ＤＮＡ？」鷹央はその単語をおうむ返しする。

「そうだ。関原桜子の右手の爪《つめ》の隙間《すきま》から、他人の皮膚が発見されたんだ。犯人ともつれ合った際に引っ掻いたんだろう。そこから男のＤＮＡが検出された。そのＤＮＡを持つ奴が犯人だ」

「なるほどな、とりあえず『瞬間移動』の謎からは目をそらして、人海戦術で容疑者を特定していこうってわけか。まあ、警察がやりそうなことだ」

つぶやいた鷹央の言葉を自分たちへの批判だと感じたのか、寺田の表情が歪む。

「犯人さえ分かれば、どうやってマンションから港まで関原桜子を運んだか、そいつの口から説明させることができるんだ。それのなにが悪い？」

低い声で脅しつけるように言う寺田に向かって、鷹央は挑発的な笑みを浮かべた。

「なにも悪くはないさ。頭が悪けりゃ代わりに体を動かすのは常套《じょうとう》手段だ。けどな、私はもっとスマートにこの事件を解決してやるよ」

4

関原桜子のマンションへ行った翌日の昼下がり、僕は天医会総合病院十階西病棟のナースステーションで、電子カルテの前に座りながら大きなあくびをしていた。

「眠そうッスね、小鳥先生」

背後から声をかけられた僕は、顔をしかめながら振り返る。予想どおり、そこには天敵が立っていた。

「昨日、救急部の当直だったんですか？」

鴻ノ池《こうのいけ》舞は僕の顔を覗《のぞ》き込んでくると、自分の両目の下を指でこすり、「くま、すごいですよ」とつけ足す。

「当直じゃない。深夜まで鷹央先生に付き合わされていたんだよ」

僕はぱたぱたと手を振る。昨夜、日付が変わる頃にようやく取調室から解放された僕たちは、タクシーで港南臨海総合病院に向かい、RX－8に乗り込んだ。僕がさっさと帰ろうとエンジンをかけると、助手席に座った鷹央は「せっかくだから、関原桜子が遺棄された港も調べたい」と言いだした。

僕は必死に「明日も早いのだから、それは後日にしましょう」と説得を試みたのだが、『瞬間移動の謎《なぞ》』に心を奪われている鷹央が納得するはずもなかった。結局僕はしかたなく、海辺の道を港へと向かったのだった。

寺田から聞き出していた遺体が見つかった港に着くと、鷹央はエサを探すハムスターのようにその周囲を観察しだした。最終的に、鷹央が満足して帰路につくことができた頃には午前二時半を回っていた。その後、鷹央を天医会総合病院まで送り届け、ようやく自宅へと帰ることができたのだった。

「えっ、鷹央先生と深夜までって……、もしかして二人でイケナイことを⁉」

鴻ノ池は目を見開くと、両手で口元を覆《おお》った。

「……違う」その芝居じみた仕草にげんなりする。

「いやあ、とうとう二人がくっつくなんて感無量です！　私が裏であれやこれや暗躍したかいがありました」

「だから違うって言ってるだろ！　話を聞け。あと、あれやこれやってなんだ⁉」

こいつは僕の知らない所でなにをやらかしているんだ？

「まあ、小鳥先生をからかうのは楽しいけど、冗談はこれくらいにしてっと。またなにか、おかしなことに首を突っ込んでいるんですか？」

鴻ノ池は真顔に戻って訊《たず》ねてくる。

「からかうのは楽しいって……。そうだよ。また、鷹央先生が暴走気味なんだよ」

「で、その暴走している鷹央先生を小鳥先生がサポートしていると。やっぱりお二人ってすごくお似合いのカップルだと思うんだけどなぁ。なんでくっつかないんだろう」

結局その話に戻るのかよ。

「僕は鷹央先生に振り回されているだけだ。それにロリータ趣味はないんだよ」

疲労をおぼえながらかぶりを振ると、鴻ノ池の顔に小悪魔的な笑みが広がっていく。

「あー、鷹央先生のことロリータとか言った。報告しちゃお」

「あっ、マジでやめて。それ聞くと、あの人めちゃくちゃ機嫌悪くなるから」

慌《あわ》てる僕を見て、鴻ノ池は呆れ顔になる。

「そんなに慌てるなら、最初から言わなければいいじゃないですか。けど、小鳥先生ってなんで鷹央先生の可愛《かわい》さに気づかないかなぁ。ちっちゃくて、目がくりくりで、ちょこちょこ動いて、すごく可愛いのに」

「それって、小動物を見て『可愛い！』っていう感覚だろ」

「そうですかぁ？　女性としても鷹央先生って可愛いと思うんですけど」

「女の『可愛い』と男の『可愛い』の基準って、絶対に違うよな。ところでお前、暇なのか？　こんなところで油売っているなんて」

「暇なわけないじゃないですか。これから入院患者全員を回診して、カルテを書いて、あと注射箋《せん》とか指示票も書かないといけないんですよ。けれど、なんか小鳥先生が疲れているみたいだから、少しからか……元気づけてあげようかと思って声をかけたんです」

「……お前、いま『からかって』って言いかけただろ」

「なんのことでしょう？」鴻ノ池は明後日《あさって》の方向を見る。

「いいから、忙しいならさっさと回診してこいよ。こっちも忙しいんだ」

僕は鴻ノ池から視線を外すと、電子カルテに入院中の患者の検査予約を打ち込もうとする。そのとき、涼やかな声が鼓膜を揺らした。

「あの、小鳥遊先生。いま、お忙しいですか？」

声の方を向くと、ナース服姿の相馬若菜が首をすくめるようにしながら立っていた。

「あっ、相馬さん。いや、全然忙しくなんかないよ。なにか用？」

「……なんか、露骨に私と対応が違いません？」

愛想よく答える僕の耳元で、鴻ノ池が低い声でつぶやく。「気のせいだって」と適当にあしらうと、鴻ノ池は僕の白衣の襟元に手をかけ、軽く前後へ振りはじめた。

「なんですか、若菜ちゃんが色白だからですか？　だから地黒の私と違って優しくするんですか？」

口調は冗談めかしていたが、僕を見てくる鴻ノ池の目はまったく笑っていなかった。こいつ……思ったより地黒のこと気にしているんだな。

「そんなわけないだろ。いいからさっさと回診に行ってこい」

僕が廊下を指さすと、鴻ノ池は子供のように不満げに頬を膨らませながらナースステーションから出て行った。

「ごめん、騒がしくて。それで、どうかした？」

鴻ノ池の姿が見えなくなったのを確認して、僕は若菜に話しかける。

「いえ、お礼をまだ言っていなかったので……。昨日は本当にありがとうございました」

若菜は深々と頭を下げた。

「いや、そんな。礼なんて必要ないって」僕は胸の前で両手を振る。

「けど、お忙しいのにわざわざ品川の方まで行っていただいて、ご迷惑だったんじゃ

「……」

「気にしなくて良いよ。鷹央先生は自分から積極的に事件に首を突っ込んでいたし、僕も鷹央先生に引きずり回されるのは慣れているからさ」

僕が言うと、若菜は「ありがとうございます」と微笑《ほほえ》んだ。

「友達のことは鷹央先生に任しておけば大丈夫だよ。あの人なら絶対に事件の真相を解き明かして、関原桜子さんを殺した犯人を見つけ出すから」

「そうだと良いんですけど……」

若菜の表情に暗い影が差した。とっさにかけるべき言葉を見つけられず、僕は口をつぐむ。どこか気まずい空気が辺りに漂いはじめた。

「あ、あのさ」重い雰囲気を振り払おうと僕は慌てて口を開く。「もし事件が解決して少し落ちついたら、よかったら食事でもどうかな？」

「えっ……？」若菜は目をしばたたかせた。

若菜の反応を見て僕は失言に気づく。なにか話題を探しているうちに、以前からいつか口にしようとしていた言葉が思わずこぼれてしまった。しかし、親友を亡《な》くしてまだ一ヶ月程しか経《た》っていないいまは、適当なタイミングではなかった。

「あ、……ごめん。今のは忘れて」

僕が慌てて言うと、若菜は目を伏せて「いえ……」と蚊の鳴くような声でつぶやく。

ついさっきより遥《はる》かに重い沈黙が辺りにおりた。どうフォローすれば良いのか悩んでいると、廊下の方から聞き慣れた声が響いた。

「おーい、小鳥ー。いるかー」

「あっ、ここですよ、鷹央先生」

僕が声をあげると、白衣のポケットに両手を突っ込んだ鷹央がナースステーションに入ってきた。

「いつまで病棟にいるんだよ。話があるからちょっと〝家〟まで来い」

左手をポケットから出して鷹央は手招きしてくる。

「ごめん、相馬さん。呼ばれたんで……」

僕は立ち上がって若菜に言う。さっきのことは、ほとぼりが冷めてからしっかりと謝ることとしよう。歩き出そうとした瞬間、若菜が僕の白衣の裾《すそ》を摑《つか》んだ。

「……相馬さん？」

「あの。……お食事、行きたいです」

若菜はうつむいたまま、蚊の鳴くような声で言う。僕の口から「え？」という間の抜けた声が漏れた。

「事件が解決したら、ぜひお食事に誘ってください」

上目遣いに僕を見ると、若菜は柔らかい笑みを浮かべた。予想外のことに僕は硬直して立ち尽くす。

「おい、なにボーッとしているんだよ」

「え？　あっ、すみません。えっと、相馬さん……それじゃあ」

鷹央の声で我に返った僕は、しどろもどろに若菜に声をかける。若菜は小さくうなずいた。

「まったく、とろい奴だな、さっさと〝家〟に行くぞ」

近づいた僕に向かって鷹央は苛立《いらだ》たしげに言う。僕は「はいはい」と頷《うなず》くと、鷹央とともにナースステーションを出た。やけに足が軽く感じる。睡眠不足のせいで体の奥にはびこっていた疲労感も吹き飛んでいた。

「……なにをにやにやしているんだよ」

屋上へと続く階段の前に来ると、鷹央が横目で視線を送ってきた。

「いえ、べつになんでもありませんよ」

僕は適当に誤魔化しながら階段を上りはじめる。

「相馬若菜と飯食いに行けるからって、そんな下心丸出しの顔していたら、速攻で逃げられるぞ」

「なっ⁉　聞こえていたんですか？」

僕は両手で口元を隠しながら目を見張る。相変わらず、とんでもない地獄耳だ。

「まったく、お前も懲《こ》りない奴だなぁ。またわざわざフラれようとするなんて」

「フラれるとは限らないでしょ！」思わず声が高くなる。

「統計的に見れば確実にフラれるだろ。お前はこの病院に来てからの八ヶ月で、看護師や薬剤師、十数人にこなをかけて、ことごとくフラれているんだぞ。つまり、お前が女を落とす確率はゼロパーセントだ。そこから導き出される結果は……」

「それ以上言わないでいいです！」

不吉な予言を遮ると、鷹央はこれ見よがしにため息をついた。

「いやあ、ここまで行くとさすがにかわいそうになってくるな」

「哀れむような目で見ないでください！　そもそも、ここに来る前はちゃんと恋人だっていたことあるんですよ。だから絶対にフラれるとは限らないです！」

僕がムキになって反論すると、鷹央は階段を上りながら僕の背中を叩《たた》いた。

「見栄《みえ》を張らなくてもいいいんだぞ」

「見栄じゃない！」

泣きそうになりながら僕は声を張り上げる。そもそも、最近僕が女性と上手《うま》くいかないのはこの人にも原因があるのだ。なんとなく良い雰囲気になったころに限って、鷹央の『事件捜査』に付き合わされ、それにかかりっきりになっている内に機を逸してしまうことが多々あった。

けれど、それを差し引いても、最近はあまりにもうまくいかなすぎなような……。

そこまで考えた時、天敵の小悪魔的な笑みが脳裏をよぎった。まさか鴻ノ池の奴、裏でおかしなことをして、僕の恋路を邪魔していたりしないだろうな……。

鴻ノ池への疑念を深めながら、階段の突き当たりまでやって来た僕は鉄製の扉を開き屋上へと出る。

「けど、お前って本当に節操ないよな。ここに赴任してすぐ、姉ちゃん口説くし」

「真鶴さんを口説いたりはしていません！」

「けど、口説こうとはしただろ」

「うっ……」たしかにそれは事実なので、僕はなにも言えなくなる。

そんな僕を尻目《しりめ》に、鷹央はてくてくと屋上の中心の〝家〟へ向かって歩き出す。

「まあ、たくさんの女に声をかけるのは間違っていないのかもな。下手な鉄砲も数打ちゃ当たるっていうしな。ただ、ここまで失敗続きのところを見ると、お前の鉄砲、実は空砲なのかもしれ……」

「それで、いったいなんで僕を連れてきたんですか。なにか用事があったんでしょ？」

僕は必死に話題を変える。これ以上この話題を続けたら、泣き出してしまいそうだ。

鷹央は「用事？」とつぶやきつつ足を止め、数秒青く晴れ渡った空を見上げたあと、ぽんっと両手を合わせた。

「そうだ。今晩も車を出してくれ。また事件現場にいくぞ」楽しげに鷹央は言う。

「え？　事件現場って関原桜子が殺された事件の？　昨日行ったばかりじゃないですか。なんでまたわざわざ……」

「私の仮説が正しいか確かめるのに、あそこに行く必要があるんだよ」

「仮説？　もしかして関原桜子になにが起こったか分かったんですか⁉」

あんなわけの分からない事件をたった一日で？　声が裏返る。

「あくまでまだ仮説の域を出ないけどな。ただ現場で私の想像通りのものが見つかれば、『瞬間移動の謎』は解けるはずだ」

鷹央は得意げに微笑みつつ、左手の人差し指をぴょこんと立てた。

5

昨日と同じように港南臨海総合病院の駐車場にRX－8を停めた時点で、時刻はすでに午後九時を回っていた。もっと早く来ることも可能だったのだが、鷹央が「今日は長丁場になるかもしれないから、先にしっかりメシを食っておこうぜ」と言い出し、途中のファミリーレストランで食事をとったので、こんな時間になったのだ。

長丁場ってどういうことだ？　またおかしなことをしなければいいけれど……。普段どおりのぶかぶかのセーターにジーンズという格好に、今日はなぜかウエストポーチをつけている鷹央を眺める。機嫌が良いとき、鷹央は高確率にろくでもない計画を胸に秘めている。そして、巻き込まれて被害を受けるのは決まって僕なのだ。不吉な予感をおぼえつつ、僕は足を挫《くじ》いたウサギのような足取りで（たぶんスキップしているのだろう）歩いている鷹央の背中を眺める。

しかし、鷹央が思いついた『仮説』とはどのようなものなのだろう？　事件現場を見たいということは、やはり犯人はどうにかして大量に出血している関原桜子を、防犯カメラには映らない方法でマンションの外に運び出したということだろうか？

ただ、犯人がなぜそこまでして関原桜子を運び出し、港に遺棄したのかわからない。いくら女性とはいえ、大量に出血している人間を気づかれないように搬送するのは、大変な労力と大きなリスクをともなったはずだ。犯人がそんなことをする理由も方法も、僕にはまったく想像ができなかった。

港南臨海総合病院の駐車場を出た鷹央は、片側三車線の車道を横切る横断歩道の前で足を止める。歩行者信号は赤だった。この車道を横切って百メートルほど歩けば、関原桜子が住んでいたマンションへ着く。

僕は信号の脇《わき》にある歩行者用のボタンを押した。夜間はボタンを押さない限り信号が変わることはないようだ。

数十秒後、信号が青に変わる。その瞬間、唐突に鷹央がその場で四つん這《ば》いになった。

「え……？　鷹央……先生？」

あまりにも予想外の行動に、僕は口を半開きにして立ち尽くす。そんな僕に一瞥《いちべつ》もくれることなく、鷹央は四つん這いのまま顔を地面に近づけると、両手足を動かして横断歩道を渡りはじめた。

「ちょ、ちょっと、なにやっているんですか⁉　やめてくださいよ。手が汚れますよ」

僕が慌てて言う。しかし鷹央は僕の言葉に反応することなく、四肢を動かしてかさかさと昆虫じみた動きで進んでいく。完全に自分の世界に入り込んでしまっているようだ。この状態になった鷹央になにを言っても無駄だ。

僕はため息をつきつつ周囲を見回す。幸いこの道は見通しが良いうえ、夜間は交通量が極めて少ない。気をつけていれば交通事故に遭うようなことはないだろう。けど、こんな光景を他人に見られたら、アブノーマルなプレイでもしていると誤解を受けたりしないだろうか？

僕がそんなことで悩んでいるうちに、鷹央は四つん這いのまま反対車線の車道まで移動する。このままなら、信号が赤に変わる前に渡りきることができるかもしれないと思った時、鷹央はぴたりと動きを止めると、鼻先がつきそうなほど地面に顔を近づけた。

「あったぞ！」

歩道まであと数メートルというところで勢いよく立ち上がると、鷹央は満面の笑みを浮かべながら足元のアスファルトを指さす。それとほぼ同時に、歩行者信号が赤へと変わった。三百メートルほど先からは大型トラックが迫ってきている。

「とりあえず、歩道に行きましょう。轢《ひ》かれますよ」

僕は鷹央の手をとると、数メートル先の歩道まで引っ張ってくる。鷹央は「うわっ⁉ なんだよ、はなせ」と声をあげた。

「いったいなにをしていたんですか？　マーキング場所探している犬みたいなことして」

横断歩道を渡りきった僕は鷹央に訊ねる。

「マ、マーキング場所探している犬⁉　お前、レディに向かってなんてことを言うんだ！　そういうデリカシーがないからモテないんだぞ！」

僕の手を振り払った鷹央は、目を剝《む》いて甲高い声を上げる。

「ほっといてください。そもそもレディは、いきなり四つん這いになって地面の匂《にお》いなんて嗅《か》ぎません」

「匂いを嗅いでたんじゃない！　地面を調べていたんだ」

鷹央は声を荒げると、さっき近づいていた大型トラックが轟音《ごうおん》を立てて僕たちの脇を通り過ぎていった。

「調べるのは事件現場だったんじゃないんですか？」

「ああ、そうだ」鷹央はうなずくと、すぐそこの車道を指さす。「そこが事件現場だ」

「はぁ？　なに言っているんですか？　事件現場は関原桜子の部屋でしょ。だって、あれだけものが散乱していたうえ、大量出血した跡があったんですよ」

僕が首をひねると、鷹央は唇の片端を上げながら歩行者信号用のボタンを押した。

「ああ、たしかに関原桜子の部屋は第一の事件現場だ。そして、そこが『第二の事件現場』なんだよ」

「第二の事件現場……？」

「そうだ、ちょっと来てみろ」信号が青に変わると、鷹央は車道に出て手招きする。

僕が近づくと、鷹央はアスファルトの地面を指さした。

「ほれ、見えるだろ」

僕はその場にしゃがみ込み地面を見る。しかし、街灯が少ないこの周辺は暗く、特に異常を見つけることはできなかった。

「あの……、普通の地面に見えるんですけど……」

僕がおずおずと言うと、鷹央は「まったく、もっとよく見ろよ」とこれ見よがしにため息をつきつつ、ウエストポーチから小さな懐中電灯を取り出し地面を照らす。僕は再び目を凝らしてアスファルトを眺める。

やっぱり、特に変わったところはない気が……、そこまで考えたところで僕は大きく息を吞《の》んだ。目の粗いアスファルトの凹凸の中に、ほんのわずかにだが赤黒いものが見えた。僕はその場に四つん這いになると、さっき鷹央がやっていたように地面に顔を近づけて目を見開く。注意しなければ分からないほどかすかにだが、間違いなく数十センチ四方ほどの範囲、そのアスファルトの凹凸の中に、赤黒い物質があった。

「ごく一部が凝固してなんとか残っていたみたいだな」鷹央は満足げにうなずく。

「これって、もしかして……」僕はよつんばいのまま顔を上げて鷹央を見る。

「そう、血痕《けっこん》だ。関原桜子のな。DNA検査をすれば証明できるだろう」

「ちょ、ちょっと待って下さいよ。マンションの部屋以外では血痕は見つかっていないはずじゃ……」

「いくら警察だってこんな離れた場所までは調べないだろ」

「で、でも、なんでこんな所に血痕が……？」

「だから、ここが『第二の事件現場』だからだよ。やっぱり私の仮説は正しかった」

「第二の事件現場……？」

得意げに胸を張る鷹央を見ながら、僕は混乱の沼へと沈み込んでいく。

「よし、それじゃあ車に戻るぞ」

片手で額を押さえる僕に、鷹央が快活に言う。

「えっ、もう天医会総合病院に戻るんですか？」

「なに言っているんだお前は、これからが本番だろ」

「本番？」

歌うように楽しげに言う鷹央を見て、僕の胸に悪い予感がよぎる。

「そうだ。関原桜子を港に遺棄した犯人を捕まえるんだよ」

鷹央は軽くあごを引くと、にっと口角を上げた。


「あの、……いつまでここにいるんですか？」

僕は助手席で文庫本を読んでいる鷹央に、さっきから何度もくり返してる質問をする。カーナビの液晶画面に表示されている時刻は、午前二時十四分を指していた。すでに四時間以上、こうして車内で『なにか』を待ち続けている。そろそろ眠くなってきた。

鷹央は文庫本を膝《ひざ》の上に置くと、僕に剣呑《けんのん》な視線を向けてくる。

「何度も言っているだろ。関原桜子をあの港に遺棄した犯人を見つけるまでだ」

「それは聞きました。僕が知りたいのは、それは誰かってことなんですよ」

「私も誰かは知らない。分かっているのは、ここにいればそいつを見つけられるかもしれないってことだけだ」鷹央は面倒そうに手を振る。

「誰かは分からない犯人を、どうして見つけられるんですか？」

「犯人がここに現れる可能性が高いからだよ」

鷹央は「これ以上質問するな」とでもいうように、再び文庫本を手にとる。物事を人に説明するのが苦手なうえ秘密主義である鷹央のこういう態度には慣れてはいるが、さすがにもう少しは気を使ってくれてもいいのではないか。

僕は目元を揉《も》んで眠気を誤魔化すと、フロントグラスの奥にある横断歩道に視線を向ける。さっき血痕を見つけた横断歩道だった。

四時間ほど前、港南臨海総合病院の駐車場に停めていた車に戻ると、鷹央が横断歩道が見える路肩に車を移動させるように指示した。言われたとおりに僕がRX－8を移動させると、鷹央は文庫本を取り出して「ここで犯人を待つぞ」と言いだしたのだった。

「……来るぞ」唐突に鷹央が文庫本から視線を上げ、ぼそりとつぶやいた。

「え？　来るってまさか……」

「そうだ、犯人が来る。準備をしろ」

「犯人？　どこから？　準備ってなんのですか？」

僕は慌てて横断歩道を見る。しかし、そこには人影はなかった。

「どこを見ているんだ？　あいつらを追いかける準備だよ」

鷹央は親指を立てると、肩越しに背後を指さした。反射的に振り返った僕は目を見開く。リアグラスの向こう、数百メートルほどの距離に、いくつものヘッドライトの明かりが輝いていた。エンジン音がかすかに鼓膜を揺らしはじめる。その音はどんどんと大きくなってきた。

「あれって……」

「この辺りでレースをしている馬鹿《ばか》どもだよ。藤本一平が言っていただろ」

鷹央は両手で耳をふさぎながら言う。エンジン音が内臓を震わせるほどに強くなってくる。次の瞬間、明らかに違法な改造を施されたスポーツカーが数台、連なって通過していった。

「あいつらを追え！」鷹央は遠ざかっているテールランプを指さしながら叫ぶ。

「えっ？　追うってなんで？」

「いいからさっさとしろ！　事件の真相を知りたいんだろ！」

「わ、分かりました！　シートベルトを締めてください！」

僕は慌ててエンジンをかけると、サイドブレーキを解除し、ギアを操作しながらアクセルを踏み込む。ロータリーエンジンがうなり声を上げると同時に、RX－8は急発進した。正面からかかってきたGが体を背もたれに押しつける。助手席から「はわぁあ⁉」と気の抜けた悲鳴が響いた。

僕はアクセルをベタ踏みにしたままギアを入れ替えていく。そのたびに車体は後方から押し出されるかのように加速していった。ほとんど見えなくなっていた暴走集団のテールランプもじわじわと近づいてくる。

いくらスポーツカーであるRX－8とはいえ、改造を加えられているあの集団の車に比べたら基本的な走行性能は劣っているだろう。しかし、集団はまさにレースをしているかのようにお互いの進路を塞《ふさ》ぐようにしながら走っているため、なんとか距離を詰めることができていた。

「いいぞ！　もっと飛ばせ。スピード上げろ！」鷹央が興奮した声をあげる。

「さすがにこれ以上は危ないですよ」

僕はハンドルを握る手に力を込める。すでに今の時点で制限速度を大幅にオーバーしている。交通量が少なく道幅が広い、さらに信号のほとんどが押しボタン式なのか、赤信号がまったくないためこれほどのスピードを出せているが、これ以上の加速をすれば事故を起こしてしまうかもしれない。

「なに言っているんだ、まだまだ大丈夫だ。絶対あいつらを逃がすな！」

鷹央はぶんぶんと両手を振り回す。

ＲＸ－８はじわじわと先を走る集団に近づいて行った。このままなら、なんとかついていくことができそうだ。僕がそう思った時、二百メートルほど先の信号が黄色に変わる。しかし、前方の車たちが減速する気配はなかった。信号が赤くなる。

僕は反射的にアクセルから足を離し、ブレーキに乗せた。改造車の集団は減速することなく信号を通過していく。

「あっ、バカ、止まるな！」

鷹央が叫ぶが、僕はすでにブレーキを踏み込んでいた。タイヤが甲高い悲鳴を上げ、ＲＸ－８は急停車する。シートベルトが胸に食い込んだ。小柄なせいでシートベルトが首元にあったのか、助手席から「くえっ」というアヒルの鳴き声のような音が響いた。

僕はフロントグラスの先に視線を向ける。テールランプはすでに豆粒のように小さくなっていた。

「なにやっているんだよ、追いつけそうだったのに！」鷹央の怒声が車内に響く。

「しかたないでしょ、信号が赤になったんだから」

「殺人事件を解決するためにあいつらを追っていたんだぞ。そんな緊急事態なら、信号なんて無視してもいいだろ」

「そんなわけにはいきません。そもそも、あんな速度でずっと走っていたら、いつか事故を起こします。先生と心中なんてごめんです」

僕と鷹央は視線をぶつけ合う。十数秒後、鷹央はふて腐れたようにそっぽを向いた。やがて、信号が青に変わる。

「……あいつら、追いますか？」

「……もういい、どうせもう追いつかないだろうからな」

頬を膨らませた鷹央はこちらを見ることなく言う。完全に拗《す》ねてしまったようだ。

「それじゃあ、もう天医会総合病院に戻りますよ。……明日も仕事ですから」

「好きにしろ」

鷹央は投げやりに手を振った。僕はしかたなく通常の速度でＲＸ－８を走らせはじめる。この道を数キロ進めば関原桜子の遺体が発見された港があり、そのそばに高速道路の入り口があったはずだ。そこから首都高にのって帰ることにしよう。

しかし、鷹央はなぜあれほど必死にあの暴走集団を追ったのだろう？　あの集団が関原桜子の事件になにか関係があるというのだろうか？　倉庫が連なる海沿いの道を車を走らせながら、僕は思考を巡らせる。

ふて腐れて黙り込んでいた鷹央が唐突に「あっ！」と声をあげると、あろうことか助手席から手を伸ばしサイドブレーキを引いた。車が急停止する。予想外の減速に体が前方に振られ、再びシートベルトが胸に食い込んだ。

「なにをするんですか、いきなり！」

咳《せ》き込みながら抗議の声をあげると、鷹央はサイドウィンドウの向こうを指さした。

「あれを見ろ」

鷹央が指さす先に視線をむけた僕は目を見開く。大きな倉庫の陰になって気づかなかったが、道路脇にある駐車場に数台の特徴的な車が停車していた。やけに低い車体、ごちゃごちゃと取り付けられたエアロパーツ、スモークカバーをかけて読み取りにくくしてあるナンバープレート、それらは間違いなく数分前まで追跡していた集団だった。

「気づかれないように少し先の路肩で車を停めろ。そのあと、あいつらの所まで行くぞ」

鷹央が低い声で言う。僕は言われたとおりに二百メートルほど先の路肩にRX－8を停車させ、車を降りた。同じように車を降りた鷹央は、せわしなくスマートフォンを操作しはじめる。

「なにやっているんですか？」

「なんでもない。もう終わった。それより行くぞ」

鷹央はジーンズのポケットにスマートフォンをねじ込み、集団が停車している駐車場へと向かって歩き出す。僕もそのあとを追った。駐車場に近づくと、男たちの声が聞こえてきた。鷹央は腰を曲げ体を低くすると、手振りで僕にも身をかがめるように指示する。僕は指示通り体を可能なかぎり縮こめながら駐車場の様子をうかがった。

近くの倉庫に勤務する人々のための駐車場なのだろう。倉庫と倉庫の間、フェンスで囲まれた三十台は駐車できるであろうそのスペースには、五台の改造車が停まっていた。駐車場の奥、二十メートルほど行ったところは波止場になっている。数人の男がその波止場で、大声で談笑していた。なかにはビール缶のようなものを握っている者もいる。もしかしたら、飲酒した上であんな危険走行をしていたのかもしれない。

鷹央は男たちに気づかれないように駐車場に入りこみ、並んで置かれている車に近づいて行く。車のそばにしゃがみ込んだ鷹央は、一番端に置かれたランサーエボリューションを改造した車のフロント部分に顔を近づけた。全《すべ》ての車が前向きに停められているので、波止場からは僕たちのいる位置は死角になっているはずだ。

たっぷり三分はかけてその車を観察した鷹央は、ぼそりと「違うな」とつぶやくと、今度は隣に置かれた車のフロント部分を観察しはじめる。

「鷹央先生、なにを探しているんですか」

押し殺した声で訊ねるが、耳に入っていないのか、それとも無視しているのか、鷹央はなにも答えないままフロント部分をぺたぺたと触り続けた。

あまりのんびりしていると、あの男たちが戻ってくるんじゃないか？　僕がやきもきしていると、鷹央は三台目のＳＵＶのフロントにかぶりつく。

僕は車の陰から男たちの様子をうかがう。彼らはまだ大声で話しながら、海に向かって空き缶を投げたりしていた。まだ戻っては来なそうだ。少し落ちついて視線を戻すと、いつの間にか鷹央は地面に仰向けに寝そべり、フロントバンパーの下に顔を突っ込んでいた。

「先生、なにをしているんですか？」

「あったぞ！」

鷹央が甲高い声をあげる。その声の大きさに顔を引きつらせながら、僕は身を伏せて車体の下を覗《のぞ》き込んだ。

「大きな声を出さないでください。あいつらに聞かれたらどうするんですか？」

「ああ、悪い悪い。それよりこれを見ろよ」

ペンライトを片手に持った鷹央は、バンパーの裏を照らしながら楽しげに言う。しかたなく、僕は鷹央と同じように仰向けになって車体の下に顔を入れた。

「ここだ、ここ」鷹央はバンパーの裏についた小さな染《し》みを指さす。

「これがなんだって言うんですか？」

「まってろ、確認するから」

鷹央は仰向けのままウエストポーチの中から、目薬などを入れるような小さなプラスチック容器と綿棒を取り出し、「これ持って照らしていろ」とペンライトを僕に差し出してくる。しかたなく僕が言われたとおりにすると、鷹央は綿棒でバンパー裏の汚れをこすり、そしてプラスチックの中の液体を綿棒の先に一滴垂らす。黒く汚れていた綿棒の先が青色の蛍光色に輝いた。鷹央の顔に笑みが広がっていく。

「やっぱり思った通りだ」車の下から這い出した鷹央は、綿棒を高々と掲げた。

「ちょっと鷹央先生、声をもう少し抑えて……。いったいその液体、なんなんですか？　なんで綿棒が青く光ったんですか？」

「この容器に入っているのはルミノール液だよ。ルミノールと水酸化ナトリウムを混ぜたアルカリ溶液と、過酸化水素水の混合液だ」

「ルミノール液って、よく海外サスペンスドラマとかに出てくる……」

「そうだ。ルミノール液はそのままでは反応しないが、血液に触れるとヘモグロビンに含まれる鉄分子が触媒となって過酸化水素水が分解し、活性酸素が生じる。その活性酸素はルミノール液と反応すると青く発色する。それがルミノール反応だ」

「じゃあ、バンパーの裏の汚れが血痕だったたってことですか」

「ああ、外から見える範囲は綺麗《きれい》に拭《ふ》き取ったようだけど、バンパーの裏までは気が回らなかったみたいだな。まあ、ルミノール反応だけで百パーセント言い切ることはできないが、まず間違いない。そして詳しく調べれば、この血痕が関原桜子のものだってことが証明されるはずだ」鷹央は地面にひざまずいたまま、自慢げに胸をそらす。

「関原桜子の血痕!?」

声を裏返す僕に、鷹央は湿度の高い視線を投げかけてくる。

「なに言っているんだ、当たり前だろ」

「当たり前じゃないですよ。なんで関原桜子の血痕がこの車についているんですか?」

「それはもちろん……」

「お前ら、なにやってんだよ!?」

説明しようとした鷹央を怒声が遮る。反射的に声の方向を見ると、いつの間にか男たちが車と車の隙間《すきま》から僕たちを見ていた。

しまった。興奮して声が大きくなっていたらしい。僕は自分のうかつさを後悔しながら男たちを見回す。若い男たちだった。おそらく、全員が二十歳前後といったところだろう。かなり明るい色に髪を染めていたり、派手なピアスをしていたりはするが、それほど反社会的なオーラは醸《かも》し出していない。一見したところ『ちょっと調子に乗っている大学生』といった雰囲気だ。

「ああ、見つかっちまったな。それじゃあしかたないか」

立ち上がってジーンズの汚れを払うと、鷹央は車の間を通って男たちに近づいて行く。その堂々とした態度に圧倒されたのか、男たちは二、三メートル後ずさり、車の隙間から出てきた鷹央を半円状に取り囲んだ。僕も慌てて立ち上がり、鷹央の隣へと移動する。

「俺の車になにをやっていたんだよ！」

細身で金髪の男が、やや上ずった声を上げる。鷹央はすっと目を細めると、その男に視線を向けた。

「これ、お前の車か？」鷹央はＳＵＶを無造作にバンバンと叩いた。

「あっ、車に触るんじゃねえ！」

金髪の男は歯茎が見えるほどに唇を歪《ゆが》めると、一歩足を踏み出した。

「そうか、お前の車か……」鷹央の顔に酷薄な笑みが浮かぶ。「ということは、お前が関原桜子を港に捨てた犯人だな」

男たちの間に大きなざわめきが走った。全員が表情をこわばらせながら鷹央を凝視する。

「なっ、なっ、なにを言って……」金髪の男がなにか反論らしき言葉をしぼり出そうとするが、唇が震えて言葉になっていなかった。

「誤魔化しても無駄だ。バンパーの裏に拭きのこした血痕があった。警察がお前の車をしっかり調べれば、色々と証拠がみつかるだろうな」

　鷹央は挑発的な口調で言う。金髪の男が声にならない悲鳴を漏らすのを見ながら、僕は困惑する。どうやら彼らが関原桜子の死に関係しているのは間違いないようだ。しかし、彼らが何者で、どのように事件に関わっているのかまったく分からなかった。

「さて、お前の出番かもしれないぞ」鷹央が男たちには聞こえないように僕に言う。

……またか。僕は顔をしかめる。

五人の男たちは落ち着きの無い態度で顔を見合わせつつ、小声でなにか話し合っている。やがて、歪んでいた男たちの顔にある表情が浮かんでくる。なにか暗い覚悟を決めた表情。僕たちを拉致《らち》するつもりだろうか、それともこの場で口を封じて、後ろの海にでも捨てるつもりだろうか。

　これで何回目だろう。鷹央と出会ってからの八ヶ月間で、何度もこんな状況に追い込まれた。僕はため息をつきながら重心を落とし、両拳《こぶし》を握りしめる。

　僕から見て右側に立つ、男たちの中で一際《ひときわ》体格のいい短髪の男がじりっと間合いをつめてくる。それとともに、男たちが形作る半円がその半径を小さくした。

「先生は後ろにいてください」

　一戦交える覚悟を決めた僕は、鷹央に小声で言う。鷹央は小さく頷くと、車と車の間に身を隠した。

　次の瞬間、獣が吠えるような気合いとともに、短髪の男が両手を広げて襲いかかって来る。同時に他の男たちも奇声を上げながら迫って来た。その行動を予想していた僕は、短髪の男に向かって飛び込む。

まさか突っ込んでくるとは思っていなかったのか、短髪の男は目を大きく見開きつつも、両手で僕に摑みかかろうとする。しかし、男の手が僕をとらえる前に、上段正拳《せいけん》突きが男の顎《あご》をとらえていた。拳頭から痺《しび》れるような手応《てごた》えが伝わってくる。

体重が乗った突きで脳を揺さぶられた男は、そのまま地面に向かってダイブするように倒れ込んでいく。もっとも体格のいい男が一撃で倒されたことに動揺したのか、残りの男たちの動きが止まった。僕は振り返ると、一番近くにいた男のみぞおちに右の前蹴《まえげ》りを叩きこんだ。つま先が急所を抉り、男はえずきながら体を折る。

これで二人。そう思った瞬間、予想外のことが起こった。前蹴りを叩きこまれた男が倒れ込みながらも、僕の右足にしがみついてきたのだ。バランスを崩した僕はその場で尻餅《しりもち》をつく。

「いまだ！」男の一人が声をあげながら迫ってくる。

慌てて立ち上がろうとするが、まだ男が足にしがみついているためできなかった。僕は必死に足を摑んでいる男を蹴りはがす。しかし、男たちはすでにすぐそばまで迫っていた。

一番最初に近づいてきた男が、サッカーボールでも蹴るように足を大きく後方に振り上げる。僕は倒れたまま、その男の軸足を自由になった右足で払った。タイミングよく足払いが決まり、男は勢いよく宙を舞って地面に叩きつけられる。男の口から「ぐふっ」とくぐもったうめき声があがった。受け身もとらずに背中から硬いアスファルトに落ちたのだ。当分はまともに動けないだろう。

僕は再び立ち上がろうとする。しかしその前に、すぐそばまで来ていた小太りの男が僕の頭部に向かって蹴りを放った。今度は足を払う余裕などなかった。僕は両手で頭を守る。前腕に痺れるような痛みが走った。

男の蹴り足を摑もうとするが、その前に最後に近づいてきた金髪の男が僕の脇腹につま先をめり込ませた。それほど強い蹴りではなかったが、肝臓の辺りを抉られ息が詰まる。その隙を逃さず、小太りの男が再び頭部に蹴りを放ってくる。

「殺せ！　ぶっ殺しちまえ！」

暴力で興奮しているのか、小太りの男は顔を紅潮させながら叫び続けた。

なんとか反撃しようと思うのだが、二人に蹴りの雨を浴びせられては立ち上がることもままならない。そのとき、突然小太りの男が「ぎっ！」と奇妙な悲鳴を上げ硬直し、背骨が抜かれたかのようにその場に崩れ落ちた。

なにが起こったのか分からないまま、僕はだらしなく開いた口から涎《よだれ》を垂らしている小太りの男を眺める。金髪の男も僕を蹴ることを忘れ、呆然《ぼうぜん》と立ち尽くしていた。

「おう、大丈夫か？　珍しくやられていたな」

聞き慣れた声に視線を上げると、小太りの男の背後に鷹央が立っていた。その手には小さな直方体の機器が握られている。どうやら、僕たちがやり合っている間に車の陰を移動して、男たちの後ろに回り込んだらしい。

「それってもしかして……」

「ああ、スタンガンだ。念のために持ってきていたんだけど役に立ったな」

鷹央はスタンガンの電極を僕の方に向けながら、得意気に微笑んだ。

「そんなものまで持ってきていたんですか」僕は呆《あき》れながら立ち上がる。腕や足は痛いが、急所は守っていたので大きなダメージはなかった。

「私のおかげで助かったんだぞ、感謝しろ」鷹央はセーターに包まれた胸を張る。

いや、それ以前にあなたのせいでこんなトラブルに巻き込まれたんだけど……。

僕は引きつった笑みを浮かべながら、細かく震えている金髪の男に向き直る。

「さて、お前はどうする？　叩きのめされるか、それとも大人しく……」

鷹央が得意げに喋《しゃべ》っている途中に、金髪の男は「うわあー」と声を上げながら身を翻《ひるがえ》した。

「あっ、まて！　人の話を最後まで聞け！」

鷹央が声を荒げるのを尻目に、金髪の男は駐車場の出入り口に向かって走って行く。

僕が慌ててあとを追おうとしたとき、二台のセダンが駐車場に突っ込んできて、男の前で急停車した。金髪の男は足をもつれさせて転倒する。

「おっ、思ったより早く来たな」

いったいなにが起こっているのか分からず、まばたきをくり返す僕の隣で、鷹央が独りごちる。セダンの扉が開き、中から出てきたトカゲ顔の中年男を見て、僕は「あ……」と呆《ほう》けた声を漏らした。

「こんな時間に呼び出しやがって。どういうことだかしっかり説明してもらうぞ」

警視庁捜査一課殺人班の刑事、寺田は、メガネの奥から鷹央を睨《にら》みつけた。

「なんで寺田さんがここに？」

僕が訊ねると、寺田は大きく舌を鳴らした。

「なにを言っているんだ。そこの先生にメールで呼び出されたからに決まっているだろ」

鷹央を指さす寺田を見て、僕はようやく状況を飲み込みはじめる。この駐車場に侵入する前、鷹央はなにやらスマートフォンをいじっていた。あのとき、寺田にメールを送っていたのか。

寺田とともに車から出てきた数人のスーツ姿の男たち（おそらく全員刑事なのだろ

う）は、戸惑いの表情を浮かべながらも、僕と鷹央（のスタンガン）によって倒された男たちに駆け寄り、そのそばに立つ。

「こんな時間だから無視しようかとも思ったが、『たぶん、関原桜子の事件の犯人を見つけたからすぐ来い』って連絡が来たら、そういうわけにもいかない。だから指示通り、サイレンを鳴らさないでここに来たんだ」

そこで言葉を切った寺田は顎を引き、鷹央に向ける視線をさらに鋭くする。その姿は獲物を狙《ねら》う蛇のようだった。もし犯人を見つけたというのがデマなら、ただじゃおかないという意思がその全身から漂っている。

「ああ、犯人ならそいつだ」

鷹央は軽い口調で、寺田の前で腰をぬかしている金髪の男を指さした。

「こいつが？」

子供なら金縛りにあってしまいそうな寺田の視線が金髪の男を射貫《いぬ》く。

「な、なんだよあんたら？」金髪の男はかすれた声を上げた。

「俺は警視庁捜査一課の刑事だ。関原桜子が殺害された事件の捜査をしている」

寺田が抑揚のない声でつぶやくと、金髪の男は「け、刑事……？」と酸欠の金魚のように口をぱくぱくと動かしはじめる。

「とりあえず、ここに倒れている男たちを逮捕しろよ。こいつら、自分たちがやったことに気付かれて、私たちの口を封じようとしたんだから。まあ、私が返り討ちにしてやったけどな」鷹央はスタンガンを持った手を腰にやると、自慢げに反り返った。

三人を倒したのは僕なんだけど……。

「ち、違う。俺たちがここでたむろっていたら、あいつらが急に襲いかかってきたんだ。逮捕するならあいつらだって、刑事さん！」

上体を起こした金髪の男は、寺田にすがりつくように言う。寺田は疑わしげな視線を僕たちに向けてきた。

「お前たちが先に襲ってきた証拠ならあるぞ、ほれ」

鷹央はポケットからスマートフォンを出すと、液晶画面を寺田や金髪の男に見せる。そこには男たちが僕を取り囲み、そして襲いかかるシーンが映し出されていた。このような状況になることを想定して、いつの間にか証拠となる映像を撮影していたらしい。

「この映像を見れば、私たちがそこに倒れている男たちを叩きのめしたのも、正当防衛だって分かるだろ」

鷹央が言うと、金髪の男は唇を震わせながら黙り込んだ。

「まさかあんた、喧嘩《けんか》の始末に俺たちを呼んだんじゃないだろうな？　俺たちは関原桜子の事件の犯人がいるって聞いたから、こんな真夜中に駆けつけたんだぞ」

寺田の声が低くなる。寺田の後ろに控えている三人の刑事たちも、厳しい表情を浮かべていた。しかし鷹央はそんな刑事たちの態度に怯《ひる》むことなく、軽い足取りで金髪の男に近づき、その顔を指さした。

「分からない奴《やつ》らだな、こいつが犯人だよ。そして、そこに倒れている奴らが共犯だ」

「犯人って、なんの犯人だって言うんだ？」

「関原桜子を港に遺棄した犯人に決まっているだろ」

訝《いぶか》しげに訊ねる寺田に向かって、鷹央はあっさりと言う。刑事たちはまだ状況をつかめないながらも、いつでも男たちを拘束できるように身構えはじめる。

「じゃあ、この男が関原桜子の恋人だったっていうことか？」

眉間《みけん》に深いしわを寄せながら寺田が確認すると、鷹央は顔をしかめてかぶりをふる。

「そんなんじゃない。こいつは関原桜子と全く面識はないはずだ」

鷹央が説明するたびに、刑事たちの顔に浮かぶ困惑の濃度は増していく。そして、状況が飲み込めないのは僕も同じだった。

「なにを言っているんだ、あんたは？　いったいこの男は誰なんだ？　なんでこの男が関原桜子を港に運んで遺棄する必要があったって言うんだ？」

「深夜にこの辺りで仲間とレースまがいの暴走をしている馬鹿な男だよ。そしてこの男は関原桜子を車ではねたんだ」

鷹央はつまらなそうに言う。その瞬間、金髪の男の体がびくりと硬直した。

「関原桜子を……車ではねた？」寺田は鷹央のセリフをおうむ返しする。

「そうだ。二十二日の深夜二時から三時の間ぐらいに、この男は港南臨海総合病院前の横断歩道で関原桜子をはねた。血塗《ちまみ》れで倒れる関原桜子を見て、こいつは焦《あせ》ったはずだ。仲間とのレースで制限速度は大きくオーバーしてただろうし、もしかしたら酒が入っていたのかもな」

鷹央に睥睨《へいげい》された金髪の男は、自分の両肩を抱くようにしながら細かく体を震わせはじめる。その反応は、鷹央の予想が正しいことをうかがわせた。

「酒に酔って人をひき殺したりすれば、危険運転致死傷罪に問われ最高で二十年の懲役をくらう可能性がある。パニックになったこの男は倒れている関原桜子を救護するどころか、事故を隠そうとした。倒れている関原桜子を仲間とともに拉致して、あげくの果てに事故現場から十キロ以上離れた港に遺棄したんだ。テトラポッドの間に投げ落とせば、交通事故で死んだとバレないとでも思ったのか、それともただ混乱したまま支離滅裂な行動をとったのか知らないが、何にしろ道理に合わない幼稚な行動だな」

鷹央は冷めた目つきで金髪の男を見下ろしながら説明を続ける。

「関原桜子を遺棄したのち、逃げ帰ったこいつは車についた血痕を必死に消した。そして、事件から当分の間は深夜のレースも控えた。けれど、自分たちに捜査の手が伸びるどころか、事件がなぜかマンションの中で起きた殺人事件だと思われていることに安心したこいつらは、馬鹿なことに数日前からまた深夜のレースを再開したんだ。まったく、頭の中になに詰めているんだか」鷹央はわざとらしくため息を吐《つ》いた。

ああ、そういえば藤本が、一ヶ月ほど前から深夜の暴走が一時やんでいたが、少し前からまた再開したと言っていた。僕はこのまえ聞いた話を思い出す。

「ちなみに、あいつらも多分共犯だ。事故を起こしたとき、一緒にレースをしていただろうし、いくら相手が女でも、一人で車内まで運び込んで、さらに港に遺棄するのは大変だろうからな。以上が『瞬間移動の謎《なぞ》』の真相だ」

鷹央は満足げに言うと、『話はこれで終わり』とでもいうように大きく頷《うなず》いた。しかし、当然そんなわけにはいかなかった。まだ分からないことが多すぎる。いや、それどころかほとんどなにも分かっていないに等しい。

自分が分かっていることは、当然他人も分かっているという前提で物事を進めてしまう鷹央は、これで全て説明した気になっているようだが、鷹央のような超人的な頭脳を持っていない僕にはなにがなんだか分からない。そもそも、なんで……。

「ちょっと待て、なんでマンションで襲われたはずの関原桜子が、港南臨海総合病院の前で車にはねられるんだ。関原桜子が自分でマンションを出たり、誰かに運び出された形跡はないんだぞ！」

僕の頭に浮かんだものとまったく同じ疑問を、寺田が早口でまくし立てる。

「そもそも、関原桜子は頭蓋骨《ずがいこつ》の小さなひび以外に骨折は見られなかった。命を落とすほどひどい交通事故なら、全身の骨がバラバラになるくらい骨折するのが当たり前だ。それにな、お前は関原桜子が二十二日の午前二時前後にはねられたって言ったな。関原桜子は零時九分に襲われて、マンション内で大量に出血しているんだぞ。おそらく出血しはじめてから一時間も経《た》たないうちに命を落としただろうって、監察医が判断しているんだよ。二時に外を歩いているわけがないだろ！」

一気に疑問を吐き出した寺田は、かすかに息を乱しながら鷹央の回答を待つ。寺田が口にしたことは全て正論だった。関原桜子が（自分の意思でか他人の手によってかは不明だが）どうやって自宅のマンションから出たのか、それがわからない限り、『瞬間移動の謎』が解けたとは言えない。

鷹央は不思議そうに寺田の顔を見たあと、これ見よがしに大きなため息をついた。

「なんだよ、まだ分からないのかよ。しかたない、一から説明してやるか」

鷹央は左手の人差し指をぴょこりと立てる。

「まず、関原桜子は自宅マンションで二十二日の零時九分に襲われ、ＤＶＤレコーダーの角で頭を激しく打って昏睡《こんすい》状態になった。警察はそのあとすぐに関原桜子が犯人に刺されるかなにかして大量に出血したと思っているようだが、そこが最初の勘違いだ。関原桜子が出血したのは午前零時過ぎじゃない。おそらくその二時間ほどあと、午前二時前後だろうな」

「出血したのが午前二時前後？　なに言っているんだ？　犯人が昏睡状態のガイシャと二時間もあのマンションに籠《こ》もって、それから刺したとでも言うのか？」

寺田が鼻の付け根にしわを寄せる。

「そんなわけないだろ。おそらく犯人は頭を打った関原桜子が動かなくなったのを見て、怖くなったのか、それとももう死んだと思ったのか、すぐに逃げ出したんだ。午前二時頃に出血しだしたとき、関原桜子はマンションの部屋で一人だったんだよ」

寺田の鼻の付け根のしわがさらに深くなる。意味が分からず戸惑っているのだろう。そして、戸惑っているのは僕も同じだった。

「それは、犯人が二時間後にナイフが刺さるように、なにか細工でもしていったっていうことか？　機械的な装置とか使って……」

自信なさげにつぶやく寺田に、鷹央は冷めた視線を浴びせかける。

「なに言っているんだ、お前は。くだらない推理小説じゃあるまいし。犯人がそんなことをする理由がないし、そもそも実際にそんな装置が使われたら、その痕跡が部屋に残るはずだ」

　至極もっともな指摘をされた寺田は、屈辱で顔を紅潮させながら薄い唇を嚙《か》んだ。

「じゃあ、いったいなにがあったって言うんだ！　さっさと説明しろ」

「分かった分かった。簡単に説明してやるよ。午前二時頃、意識を取り戻した関原桜子は大量に出血する。看護師だった関原桜子は驚きながらも、すぐに病院で治療を受けなくてはならないと冷静に判断した。そのとき、とるべき行動は二つあった。一つは救急要請をすること。もう一つは自らの足でマンションを出て、すぐそばにある港南臨海総合病院の救急部に駆け込むこと」

　鷹央は左手の指を二本立てながら説明を続ける。

「救急要請してから救急隊が到着し、病院に搬送されるまで少なくとも十五分はかかる。それに対して、関原桜子が住んでいたマンションと港南臨海総合病院は直線距離で二百メートルほどしか離れていない。自らの足で向かった方が助かる確率が高いと判断した関原桜子は、マンションを出て病院へと向かった。防犯カメラに映っていた深夜にマンションから出て行った人物、その一人が関原桜子だったんだよ。しかし、必死に病院に向かっていた関原桜子が横断歩道を渡ろうとしたとき、運悪くこの男たちの運転する車が暴走してきて、はねられてしまったんだ」

　まだへたり込んでいる金髪の男を鷹央が指さすと、寺田がなにかを振り払うかのように大きく右手を振った。

「なにをめちゃくちゃなことを言ってるんだ。言っただろ、マンションの廊下にも、エレベーターにも、非常階段にも、エントランスにも血痕なんてなかったんだ！　大量に出血している状態でマンションを出たっていうなら、そのことはどうやって説明するんだ。まさか、部屋から出たときにはもう完全に出血が止まっていたとか言うつもりじゃないだろうな」

「いや、部屋を出て病院に向かう間も出血は続いていたはずだ。ただ、その血液は漏れることがなかったんだ。袋の中に溜《た》まっていたからな」

鷹央はにやりと唇の端を上げる。

「袋？　はっ、袋の中に血液を溜めていたから、部屋の外に血痕がなかっただ？　あんた正気か？　自分の命が危ないって時に、なんでわざわざビニール袋かなんかに血を溜めるっていうんだ。床が汚れないようにか？」

寺田はこれまでのお返しとばかりに、嘲笑《ちょうしょう》まじりに責め立ててくる。しかし、鷹央の顔に浮かんだ笑みが消えることはなかった。

「べつに関原桜子は意識して血液を袋に溜めていたわけじゃない。自然に溜まっていたんだ。そこから出血していたからな」

「そこから出血……？」寺田は訝しげにつぶやく。

「そうだ。遺体が腹部を中心に激しく損傷していたせいで、司法解剖でも出血源ははっきりしなかった。だからお前たちは、犯人がナイフで腹でも刺したんだろうと考えた。それが今回の事件を複雑にした最大の失敗だ。関原桜子を大量出血させたのはナイフじゃない、……酸だ」

鷹央は得意げに鼻を鳴らした。

「酸⁉　ガイシャが酸をかけられたっていうのか⁉」

新しく出てきた情報に、寺田は表情を大きく歪めながら悲鳴のような声を出す。鷹央はそんな寺田から視線を外すと、僕に思わせぶりな流し目をくれた。「もう分かっただろ？」とでも言うように。

頬の辺りが引きつってしまう。正直言って、僕も寺田と同じ気持ちだった。鷹央がなにを言いたいのか、まったく見当がつかない。

出血の原因が酸で、しかも袋の中に血液を溜めていた？　さらに、袋から出血？

まったく意味が……、ん？　出血する袋……？

「……胃袋？」

ほとんど無意識に、その単語が口から漏れる。その瞬間、鷹央の顔に満足げな笑みが浮かんだ。

胃袋……、二時間後の出血……、頭蓋骨の骨折……。頭の中に一つの病名が浮かんでくる。僕はおずおずと口を開いた。

「……胃潰瘍《かいよう》、……出血性のクッシング潰瘍」

「正解だ！」

鷹央は快活に言うと、僕の背中を平手で叩《たた》いた。

「く、くしんぐ……？　何の話だ？」

寺田が僕と鷹央に交互に視線を送りながら、焦《じ》れたように言う。

「クッシング潰瘍、頭部外傷や脳卒中、脳外科手術などによって引き起こされる胃や十二指腸の潰瘍のことだ。頭部へのダメージにより頭蓋内圧の上昇が起こり、その結果副交感神経である迷走神経が活性化され大量の胃酸が分泌《ぶんぴつ》される。また中枢《ちゅうすう》神経系のダメージは人体に大きなストレスになり、副腎皮質から大量のストレスホルモンが分泌される。そのホルモンは胃や十二指腸の粘膜を薄くする作用がある。その結果、わずか数時間で深い潰瘍が形成されてしまう」

鷹央は辞典を読み上げるかのように、淡々と『クッシング潰瘍』の説明をしていく。

「それじゃあガイシャは……」寺田は口を半開きにしながらつぶやく。

「ああ、そうだ。関原桜子は二十二日の午前零時九分、おそらくは元恋人のストーカーに襲われ、DVDレコーダーに強く頭をぶつけて昏睡状態になった。その相手はすぐに逃げたが、頭部外傷のストレスによって関原桜子の胃にはクッシング潰瘍が生じた。運が悪かったのは、潰瘍ができた部分に太い血管が走っていたことだ。胃酸はその血管まで浸食し、胃の中で出血がはじまった。出血性胃潰瘍と呼ばれる病状だ。普通なら解剖すれば出血源が胃潰瘍だったと特定できるんだろうけど、今回の場合は長時間海に浸かっていて腹部が損傷していたせいで、それが分からなかったんだろうな」

鷹央はゆっくりとした口調で喋り続ける。その説明に僕も、刑事たちも、そして金髪の男とその仲間たちさえ聞き入ってしまう。

「午前二時前後、意識を取り戻した関原桜子は、胃の中に溜まっていた大量の血液をカーペットに吐き出す。血液の中に胃液が混ざっていたのはそのせいだ。嘔吐《おうと》した上に血液がまき散らされたんじゃなく、血液と胃液は胃の中で混ざっていたんだ。看護師だった関原桜子は自分の身になにが起こっているのかすぐに理解し、自らの足で港南臨海総合病院へ向かうために部屋を出る。もちろん、その間も潰瘍部からの出血は続いていたが、血液は胃の中に溜まっていたため部屋の外に血痕が残ることはなかった」

鷹央は言葉を切ると、ここまで理解しているか確かめるように寺田に視線を向ける。寺田は真剣な表情のまま、視線で先を促した。

「マンションを出て港南臨海総合病院に向かった関原桜子が病院前の横断歩道を渡ろうとしたとき、この男の車が突っ込んできて関原桜子をはねた」

「まってくれ、関原桜子は頭部以外骨折していなかったんだ。少なくとも激しくはねられたとは思えない」

寺田の態度は、さっきまでの矛盾を指摘してやり込めてやろうといった感じのものから、教えを請《こ》うようなものへと変化していた。

「ああ、激しくはねられたわけではないんだろうな。ほんのかすかに接触したぐらいだった可能性が高い」

鷹央が鷹揚《おうよう》にうなずくと、それまでうなだれていた金髪の男が勢いよく顔を上げた。

「そうだよ！　俺はしっかりブレーキをかけたんだ！　はねたってほどじゃない。フロントがほんのちょっと触れたぐらいなんだよ！」

ここぞとばかりに声をあげる金髪の男を、鷹央の鋭い視線が射貫く。金髪の男は表情をこわばらせた。鷹央は鼻を鳴らすと、説明を続ける。

「たしかに交通事故の衝撃は弱かったんだろう。けれどそのとき、関原桜子の胃では出血が続き、大量の血液が溜まっていた」

「まさかそれを……」

寺田がつぶやくと、鷹央は渋い顔で駐車してあるＳＵＶを指さす。

「そう、車とぶつかった衝撃で関原桜子は再び吐血したんだ。その車のフロント部分にな。そして、大量の出血と事故の衝撃で関原桜子はついに動けなくなった。けれど、運転してたこの男には胃潰瘍のせいで吐血したなんて分かるわけがない。自分がはねたせいで血を吐き、息も絶え絶えになっていると思った。あとはさっき説明した通りだ。パニック状態になったこの男と仲間たちは、関原桜子を拉致して十キロほど走り、あろうことか人気《ひとけ》の無い港に遺棄した。すぐに病院まで運びさえすれば関原桜子は助かっただろうに、この男たちは卑怯《ひきょう》にも事故をもみ消そうとしたんだよ」

鷹央は言葉を弾丸にして金髪の男に打ち込んでいく。金髪の男とその仲間たちは、自らの行動を恥じたのか、それともたんにこれから重い刑罰を科せられる運命に絶望したからなのか、力なくうなだれた。そんな男たちを見回しながら、鷹央は小さく息を吐く。

「防犯カメラに映っていた人物のなかに、血で赤く染まった服を着ていた者がいなかったのもそのせいだ。自宅で吐血したとき、関原桜子は自分の服には吐血しなかった。そして、車にぶつかって吐血した際に、血液がシャツに大量に付着したんだ。つまり、防犯カメラは関原桜子の姿をとらえていたんだ。まあ、かなりピント外れだったけどな」

鷹央は少し話し疲れたのか首筋を軽く揉んだあと、左手の人差し指を立てた手を振る。

「つまり、関原桜子がどうやって移動したのかわからないまま事件現場から遠く離れた港で発見されたのは、出血性のクッシング潰瘍、壊れていた防犯カメラ、そしてこの男たちの馬鹿げた行動、この三つの偶然が組み合わさった結果生じたものだ。これが『瞬間移動』の正体だよ」

鷹央が説明を終えると、周囲に沈黙が降りた。完璧《かんぺき》に解き明かされた『瞬間移動の謎』。その衝撃に誰もが言葉を失っていた。

「いま……」寺田がおずおずと口を開く。「いまあんたが言ったことを、どうやって証明すればいい。証拠がなければ、この男たちを立件することはできない」

「その車を調べればいいだろ。バンパー裏の血痕が関原桜子のもので、さらに胃液の成分が混じっていれば証拠になる。それに、後部座席あたりをしっかり調べれば、関原桜子を拉致して運んだ痕跡《こんせき》もきっと見つかるだろうな。そうすれば裁判でも十分に有罪にすることができるだろ。監禁致死……いや、まだまだ息がある人間を海に遺棄したんだから殺人罪か？ そこは検察の判断だろうが、かなり重い罪になることは間違いないだろうな」

鷹央がつまらなそうに言うと、金髪の男とその仲間たちの表情が炎に炙《あぶ》られた蠟《ろう》のようにぐにゃりと歪んだ。鷹央はもはや完全に興味を失ったのか、男たちに一瞥《いちべつ》もくれることなく僕に向き直り、「それじゃあ帰るか」と声をかけてくる。

「ちょ、ちょっと待ってくれ。たしかに事件の夜に何があったかはわかった。けれど、マンションで関原桜子を襲ったのは誰なんだ?」

寺田が慌《あわ》てて声をかけると、鷹央は大きく肩をすくめる。

「なに言っているんだ。そんなこと私が知るわけないだろ。私は個人的な好奇心で『瞬間移動の謎』を解いたに過ぎない。事件の全容を教えてやったんだから、あとはお前たちが被害者の身辺を調べて容疑者を割り出せよ」

鷹央に正論を突きつけられ、寺田は言葉に詰まる。

「関原桜子の爪《つめ》から犯人のものと思われる男のＤＮＡが検出されているんだろ。なら、あとは人海戦術で容疑者を絞っていけば、いつかは犯人にたどり着くだろ。きっと、この前お前が言っていたとおり、港南臨海総合病院に勤める既婚のドクターか誰かだよ。まあ、頑張って探してくれ」

鷹央は完全に他人事《ひとごと》の態度でつぶやくと、駐車場の出入り口に向かって歩き出す。

「お疲れさまでした。これでなんとか事件は解決しそうですね」

隣に並んだ僕が労をねぎらうが、鷹央は答えることなく急に足を止め、口を半開きにして焦点の合っていない目で宙空を眺めはじめた。

「鷹央先生、どうかしましたか?」

「……いや、なんでもない。……ああ、きっと気のせいだ」

鷹央はなにかを振り払うように勢いよく頭を振ると、早足で再び歩きだす。その態度に軽く首をひねりつつ、僕は遠ざかっていく小さな背中を追いかけた。

6

あと三十分か……。鷹央が『瞬間移動の謎』を解明した翌週の金曜、僕は救急部で電子カルテの前に座りながら、腕時計に視線を落としていた。時刻は午後五時半、もうすぐ今日の勤務が終わる。そうしたら……。口元が緩んでしまう。

関原桜子の事件の経過については、寺田からある程度情報が入っていた。先週逮捕された金髪の男とその仲間たち（彼らは都内の私立大学に通う学生だった）は容疑を全て認めていて、さらに鷹央の予想どおり、金髪の男のSUVから胃液が混じった関原桜子の血痕等の証拠が検出されたらしい。そのことにより、クッシング潰瘍によって吐血した関原桜子が病院に向かう途中で交通事故に遭ったこと、それを隠蔽《いんぺい》しようとした金髪の男とその仲間たちに拉致され、港に遺棄されたことはほぼ証明されたということだ。

マンションの部屋で関原桜子を襲った人物については、まだ特定できていないらしいが、条件に当てはまる人間をしらみつぶしに当たっているので、近いうちに逮捕できるだろうということだった。DNAという決定的な証拠があるのだから、たしかにその可能性は極めて高いだろう。

相馬若菜には先週のうちに事件の真相と、男たちが逮捕されたことを伝えていた。病棟の隅にある『病状説明室』という狭い部屋で、僕の口からなぜ『瞬間移動』が生じたのか、親友の身に何が起こったのかを聞いた若菜は言葉を失ったあと、その大きな瞳《ひとみ》を潤《うる》ませはじめた。慌てて僕が差し出したハンカチで目元を覆《おお》った若菜は、押し殺した嗚咽《おえつ》を漏らし続けた。数分後、胸に湧《わ》き上がった感情を涙に溶かして流し去った若菜は、ゆっくりと顔を上げると、充血した目で僕を見ながら「小鳥遊先生、本当にありがとうございます。……もしよかったら、今度お食事ご一緒させてくださいね」と微笑《ほほえ》んだのだった。

そう、今日こそがその『お食事』の日なのだ。翌日、あらためて若菜を誘ったところ、赤坂に前々から行きたかったレストランがあるということなので、今日の午後八時にその店の半個室を予約していた。

僕は再び腕時計に視線を落とす。勤務終了まであと二十五分。一時間ほど前に搬送されてきた急性胆嚢炎《たんのうえん》の患者の処置も一通り終え、あとは入院先である消化器内科に引き渡すだけになっている。このまま何事もなく勤務を終えることができれば……。

「おっ邪魔しまーす!」

唐突に背後から聞こえて来たやけに陽気な声に、緩んでいた頬が引きつる。

いまの声は……。僕がおそるおそる振り返ると、予想どおりの人物が救急部の出入り口に立っていた。

「鴻ノ池……」喉《のど》の奥からうめき声が漏れる。

「あっ、小鳥先生、お疲れさまでーす」鴻ノ池はびしっと敬礼をする。

「お前、なにしに来たんだよ?」

「なにって、患者さんの引き継ぎですよ。急性胆囊炎の患者さん。私の指導医が担当になったんです」

「よりによってお前が来るのか……」

僕は顔をしかめる。せっかく若菜との食事のことを考えて浮かれていたのに、天敵の出現でせっかくの気分が台無しだ。こいつにだけは今晩のことを知られないようにしなくては……。

やけに顔が広く、そのうえ(僕の話題については)口の軽いこいつにデートのことを知られたりしたら、週明けには病院中に噂《うわさ》が広がっている可能性すらある。僕は鴻ノ池に警戒の視線を向ける。

「ん? どうしたんですか、熱い視線を向けてきて。そんなに私が来て嬉《うれ》しいですか？」

鴻ノ池はおどけて言う。

「嬉しくない！　お前がおかしなことしないか警戒しているんだ」

「またまたぁ、素直じゃないなぁ。嫌よ嫌よも好きのうち、みたいな？」

「全然違う！」

僕が突っ込みを入れると、鴻ノ池はなにか思い出したのか「あっ」と声をあげ、にやーといやらしい笑みを浮かべた。

「そういえば小鳥先生、最近なにかいいことあったんじゃないですか？」

思わせぶりに言う鴻ノ池に頬の引きつりが強くなる。今晩のデートのことか？

「あー、黙っているところ見ると、やっぱりなにかあったんですね。ねえ、どこまでいったんですか？」

鴻ノ池は目を輝かせながら身を乗り出してくる。

「ど、どこまでって、今晩一緒に食事するだけだよ」

僕が軽くのけぞりながら答えると、鴻ノ池は目をしばたたかせた。

「食事？　え、どこかでカレー食べるんですか？」

「は？　カレーなんか食べるわけないだろ。ちょっといいイタリアンレストランだ」

「イタリアン？　何を言っているんですか、小鳥先生？」

鴻ノ池はさらに身を乗り出し、額がつきそうなほどに顔を近づけてくる。僕は背骨に痛みをおぼえるほどに体を反らした。

「な、何をって、だから今晩、相馬さんと食事に……」

「若菜ちゃんと食……」

甲高い声をあげかけた鴻ノ池の口を、僕は慌てて手で押さえる。

「でかい声出すんじゃない！　みんなに聞かれたらどうするんだ！」

「なんで小鳥先生が若菜ちゃんとデートするんですか？　浮気はダメですよ」

鴻ノ池は僕の手を振り払う。

「べつに誰とデートしたって自由だろ。なんで浮気になるんだよ？」

「だって先生にはちゃんと恋人がいるじゃないですか。この病院の屋上に」

「いないよ！」

「小鳥先生が若菜ちゃんとくっつくなんてダメですよ。せっかく私が……」

そこまで言ったところで鴻ノ池は唐突に言葉を止め、視線を宙に彷徨《さまよ》わせる。その顔ににやけた笑みが戻ってくる。

「あ、なるほど。だからなのかぁ」鴻ノ池は胸の前で手を合わせた。

「な、なんだよ、『だから』って？」

鴻ノ池のセリフに不吉なものをおぼえ、僕は顔をしかめる。

「いえいえ、こっちの話です。それじゃあ今晩楽しんでくださいね。男なんだから、ちゃんとリードしてあげないとダメですよ」

鴻ノ池はやけに色っぽくウインクすると、患者を病棟に上げるために離れていく。なんなんだよ、あいつ？　鴻ノ池の態度に首をかしげつつ、僕はカルテの記載を終わらせるためにディスプレイに向き直った。

新たに患者が救急搬送されることもなく、カルテを書き終えて待機しているうちに、勤務終了時間は刻々と近づいてくる。僕は腕時計を確認しながら、午後六時になるのを今か今かと待ち続けた。

あと一分！　僕が胸の中でカウントダウンをはじめた時、白衣のポケットから電子音が流れはじめた。僕は背筋を伸ばし、顔をこわばらせる。

なんでこんなタイミングで……。おそるおそる院内携帯を取り出してその液晶画面を見た僕は、さらに表情の硬度が上がるのをおぼえた。

『カエルマエニ　イチド　ウチニヨレ　　タカオ』

なんであの人、いつも電報みたいなメールを院内携帯に送ってくるの？　なんか怖いんだけど……画面に表示されたその文字を眺めながら、僕は大きくため息を吐くのだった。

「今日はダメですからね！」

院内携帯のメッセージを見た十数分後、救急部の引き継ぎを終えてすぐに屋上にやって来た僕は、〝家〟の扉を開けると同時に声を張り上げた。

「なんだよ、急に？」ソファーに寝そべっていた鷹央は、不思議そうに僕を見る。

「どこかに付き合えとか言い出すんでしょ。先週から言っておきましたよね。今日だけは絶対に外せない用事があるから、救急部の勤務が終わったらすぐに帰るって」

「ああ、分かってる。相馬若菜とメシ食いに行くんだろ」

鷹央に図星を指され、僕は目を見開く。

「なんでそのことを……？」

もちろん、鷹央にもそのことは言っていなかった。

「さっき舞が内線で連絡してきたんだよ」

あいつ……。僕は鴻ノ池に口を滑らせた自分の迂闊《うかつ》さを呪《のろ》う。

「ま、まあ、そういうわけです。だから悪いですけど、今晩だけは付き合うわけにはいきませんからね」

「どこかに連れて行ってもらおうっていうんじゃない。ちょっと話があっただけだ」

鷹央は気怠《けだる》そうに手を振る。『謎』に好奇心を刺激されているとき以外、テンションが低いのはいつものことだが、今日はどこかつらそうに見えた。

「話……ですか？　あんまり時間がかからないならいいですけど……」

すぐに〝家〟をあとにするつもりだったが、鷹央の様子が気になって思わずそう言ってしまった。

「関原桜子の事件についてだ」鷹央は力ない口調で言う。

「え？　そのことですか？『瞬間移動の謎』なら、先生が解明したじゃないですか？」

「マンションで関原桜子を襲った犯人はまだ捕まっていないだろ」

「ああ、ストーカーの話ですか。けど、それは警察が犯人を見つけるんじゃ……」

「一週間も経っているのに、警察はそいつを逮捕できていない」

「まあ、そうですけど……。けれど、いつかは犯人を見つけられるでしょ」

「……いや、警察じゃあいつまで経っても犯人を見つけ出せない可能性が高い」

「えっ？　どういうことですか？」僕は首をひねる。

緩慢な動きでソファーから立ち上がった鷹央が、間接照明に淡く照らされた部屋の中、ゆっくりと近づいてきた。

「私は先週の時点で、事件の全容を解明した気になっていた。けれど……それは間違いだったんだ。この事件は私が想像したより遥《はる》かに複雑で、そして解決困難なものだった」

僕の目の前に立った鷹央は、険しい表情で言う。

「じゃあ、また事件を調べなおすっていうことですか？」

僕の問いに、鷹央は気怠そうに首を左右に振った。

「いや、私はもうこの事件には関わらない。手を引く」

「手を引く⁉」

思わず甲高い声をあげてしまう。一度『謎』に食らいついたら、スッポンのように嚙みつき続ける鷹央が？

「鷹央先生、どうしたんですか？　らしくないですよ、そんなこと言い出すなんて」

「しかたがないんだよ。……この事件は、私には解決できない」

弱々しくつぶやく鷹央を前にして、僕は目を見張る。

「そんな弱気なことを言わないでくださいよ。先生、いつも言っているじゃないですか。『私に解けない謎なんてない』って。今回もきっと解決できますよ」

鷹央がなぜこんな状態になっているか分からないまま、僕は必死に励まそうとする。

鷹央はふっと哀《かな》しげに微笑んだ。

「無理なんだよ。もう私はこの事件に関わらない」

声は小さかったが、そこには固い決意が感じ取れた。

「そんな……。それじゃあ犯人は野放しのままですか？」

「いや、そんなことはないさ」鷹央は小さく肩をすくめた。

「鷹央先生が手を引いても、警察が犯人を見つけ出せるってことですか？」

「いや、無理だろうな。警察には犯人は見つけ出せない」

「じゃあ、誰がこの事件を解決するって言うんですか？　先生も警察もダメなら……」

鷹央は左手の人差し指を立て、僕の唇に触れた。口の中で言葉が溶けていく。

「小鳥……お前だよ」

鷹央は僕を真《ま》っ直《す》ぐに見つめながら言った。

わずかにブラウンの入ったその瞳に吸い込まれていくような錯覚に襲われる。

「お前がこの事件を解決するんだ」

「な、……何を言っているんですか？」

「だから、お前がこの事件を解決しろって言っているんだよ」

「できるわけないでしょ。警察も、そのうえ先生まで解決できない事件なんて！　そもそも、犯人のＤＮＡまで分かっているんですよ。それならいつかは警察が犯人をみつけだせるんじゃないですか？」

「いや、そんなことはない。DNAは人間の本質を示すものじゃない」

「な、なにを……？」どこか哲学的な鷹央の言葉に戸惑ってしまう。

「DNAが分かっているからって、警察がこの事件を解決できるわけじゃないってことだよ。ところでお前、この病院で、統括診断部で働きはじめてどれくらい経つ？」

「えっ？　……八ヶ月以上経ちますけど」

「そうだ。その間にお前はこの統括診断部で様々な経験を積んできたはずだ。そのことを思い出せ。そうすれば、きっとこの事件を解決できるはずだ」

「待ってくださいよ。なんで僕なんですか？　僕がどうにかできるぐらいの事件なら、先生や警察ならもっと簡単に解決できるはずでしょ」

鷹央はゆっくりと首を左右に振った。

「いや、無理なんだよ。お前以外にこの事件を解決できる奴なんていないんだ」

「そんな……」僕は言葉を失う。

鷹央が解決できない事件があるということだけでも信じられないのに、それを僕が解き明かすことができるなんて……。

僕が立ち尽くしていると、鷹央は「話は終わりだ」とでもいうように身を翻《ひるがえ》して離れていき、再びソファーに横になる。

「あの、鷹央先生……」

「こんな所で時間潰《つぶ》していていいのか？　相馬若菜との約束に遅れるぞ」

鷹央はすぐ近くにある〝本の樹《き》〟から文庫本を手にとり、ぱらぱらとめくりだす。

たしかにその通りだ。一度家に戻って着替えるなら、そろそろ病院を出ないと。

「……それじゃあ、失礼します」

このまま〝家〟をあとにしていいものか迷いつつ、僕は玄関扉のノブに手をかける。

「ああ、そうだ」

扉を開ける僕に、鷹央が思い出したように声をかけてきた。

「もし事件が解決できたら、ここに首尾を報告しに来い。いつでもかまわないから」

7

マンションの部屋で関原桜子を襲ったストーカー。いったいそれは誰だったのだろう？　頭の中に関原桜子の事件に関わっている男性の顔が浮かんでくる。

なぜだか分からないが鷹央は「お前なら事件を解決できる」と言った。あの鷹央が断言するということは、すでに僕が犯人を特定できるだけの材料を持っているということなのだろう。けれど、どれだけ頭を絞っても、誰が犯人なのかまったく分からなかった。

そもそも、なんで僕じゃないといけないのだろう？　空恐ろしくなるほどの観察眼をもっている鷹央なら、一連の調査で僕より遥かに多くの情報を得ているはずだ。それなのに、僕に解決できて鷹央に解決できないなんてことがあり得るのだろうか？

「小鳥遊先生、どうかしました？」

「あっ、ごめん。ちょっと考え事を……」

前方からかけられた声で我に返った僕は、肉料理がのった皿に落としていた視線を慌ててあげる。

「お肉を見ながら固まっちゃったから、ちょっとびっくりしちゃいました」

正面の席に座った若菜ははにかむような笑みを浮かべる。その笑顔にどぎまぎしながら、僕は軽く背筋を伸ばす。そうだ、いまは楽しまなくては。

鷹央と話してから約四時間後、僕は若菜とともに赤坂の一角にある小さなレストランに来ていた。細い路地を抜けたところにあるその店は、一軒家の民家を改造したもので、まさに『隠れ家レストラン』といった雰囲気だった。看板も出ていないので、普通に前を通りがかっても、そこが飲食店だとはなかなか気づかないだろう。

店の中はいくつもの小さな個室に分けられて、そこで人目を気にすることなく食事を楽しむことができるようになっていた。ウェイターが運んでくるイタリアンのコース料理はどれも手が込んでいて、舌だけでなく視覚的にも楽しませてくれた。

こんなお洒落《しゃれ》な店の個室で若菜とディナーをしているという、このうえなく幸せなシチュエーション。同じ職場だけに話も弾み、かなりいい雰囲気で過ごすことができているのだが、鷹央にかけられた思わせぶりなセリフが時々脳裏をよぎり、そのたびに事件のことを思い出してしまっていた。

もし本当にあの事件が僕にしか解決できないのだとしても、べつに今夜考える必要はないじゃないか。いまはこのディナーに集中しろ。せっかく、久しぶりに僕にも春がやってくるかもしれないのだから。僕はワインを口に含みながら自分に言いきかせる。

「けれど、本当にお洒落な店だよね。何回か来ているの？」

僕は白い壁に囲まれた四畳半ほどの広さの部屋を見回しながら言う。この店を選んだのは若菜だった。駅で待ち合わせてここに来るときも、地図を片手に四苦八苦する僕を若菜が先導してくれていた。

「いえ、何年も前に一度だけ……」

若菜は遠い目で天井辺りに視線を向ける。きっと何かを思いだしているのだろう。

そんな若菜を僕は複雑な気持ちで眺める。

こんな雰囲気のいい店で食事をしたということは、きっと相手はそのときの恋人なのだろう。そしていまの若菜の表情を見ると、その相手のことをいまも想《おも》っているのかもしれない。

「あっ、ごめんなさい。今度は私がぼーっとしちゃいましたね」

数十秒視線を彷徨わせたあと、若菜は慌てて謝罪する。僕はおどけて「これでおあいこだね」と返した。若菜は可愛《かわい》らしくうなずいた。

なんとなくいい雰囲気だ。いまこそ、ずっと知りたかったことを聞くチャンスかもしれない。

「そういえば相馬さんって、いまは付き合っている人とかいないの？」

可能な限りさりげなく訊《たず》ねると、若菜は目をしばたたかせたあと、小悪魔的な笑みを浮かべた。

「あら、結構突っ込んだこと訊《き》きますね」

「いや、ちょっと気になっただけで……」

しどろもどろになる僕の前で、若菜は弱々しくかぶりを振った。

「いまはいませんよ。前に付き合っていた人とは、ちょっとすれ違いがあって……」

僕はテーブルの下で拳《こぶし》を握り込んでガッツポーズを作りかけるが、つらそうな表情を浮かべる若菜を見て手の力が抜ける。

「ごめん、……変なこと訊いちゃって」

「あっ、気にしないでください。そのことについては、もうすぐちゃんとけじめをつけられそうなんで」

　ということは、いまも前の恋人との間でなにか揉《も》めているということだろうか？

「あの……、もしなにか困っていたら、相談とかのるよ」

　僕がおずおずと声をかけると、若菜はゆっくりと首を左右に振った。

「いいえ、小鳥遊先生にこれ以上ご迷惑をかけるわけにはいきませんから。先生には本当にお世話になりました。私、すごく感謝しているんです」

「感謝しているって、僕は何も……」

「そんなことないです。小鳥遊先生と天久先生のおかげで、私は前に進むことができます。本当にありがとうございます」

　若菜は頭を下げる。若菜の意図がつかめず、僕は「はぁ」と呆《ほう》けた返事をすることしかできなかった。

「小鳥遊先生、せっかくなんですからもう少し飲みませんか？」

　顔を上げた若菜はテーブルに置いてある赤ワインの瓶を手にとる。

「あっ、それじゃあ」

　僕がグラスを差し出すと、若菜はそこにワインをなみなみと注ぎ、続いて自分のグラスにも注いでいく。

「私、小鳥遊先生にお食事誘ってもらってすごく嬉しかったです」

人差し指でワイングラスの縁に触れながら、若菜は囁《ささや》くように言った。唐突なそのセリフに、ワインを飲んでいた僕は軽くむせる。

「小鳥遊先生ってすごくお話ししやすいんですよね。一緒にいて癒《い》やされるというか」

グラスに視線を注ぎながら若菜は言葉を続けた。

もしかしたら若菜も自分に気があるんではないかという淡い予感が胸に湧くが、それと同時に「全然意識していない『いい人』だから、どんなことでも話しやすいだけじゃないいんですかぁ？」という幻聴が、鴻ノ池の声で脳内に再生されていた。

「最近、誰かに話を聞いて欲しいとずっと思っていました。けれど、きっと小鳥遊先生じゃないとこんなに楽に話せなかったと思います」

僕じゃないとダメ……。そういえば鷹央先生にも同じようなことを言われたな……。

脳裏にどこか哀しげな鷹央の顔が浮かぶ。いまは若菜とのディナーに集中しなければ。そう思うのだが、なぜか数時間前に薄暗い〝家〟の中で鷹央と交わした会話が耳に蘇《よみがえ》ってきた。

『この事件は、私には解決できない』

『お前がこの事件を解決するんだ』

『お前以外にこの事件を解決できる奴《やつ》なんていないんだ』

事件を解決……。僕の頭にふとした考えがよぎる。

そうだ、鷹央はずっと「犯人を捕まえる」ではなく「事件を解決する」と言っていた。もしかしたら鷹央は暗に、マンション内で関原桜子を襲った犯人をただ捕まえることが、『解決』ではないと言っていたのではないか？

そうだとしたら、『解決』とはどのような状態のことを言っているのだろう？

思考が激しく脳内を駆け巡る。なぜか心臓の鼓動が加速していく。僕はなにかに気づいている。気づいているのに、その可能性から目を背けている。そんな予感が責め立てる。僕は歯を食いしばって脳に鞭《むち》を入れ続ける。

鷹央には不可能で、僕にはできる『解決』。超人的な頭脳で瞬《また》く間に『謎』を解き明かしていく鷹央に、凡人の僕が勝てること……。

『ＤＮＡは人間の本質を示すものじゃない』

耳に蘇った鷹央のセリフが稲妻のように全身を貫いた。僕は目尻《めじり》が裂けそうなほどに目を見開く。

関原桜子の事件を調べる過程で目にした光景が、次々にフラッシュバックしていく。

まさか……。

僕の手からワイングラスが滑り落ちた。落下したグラスは乾いた音をたてて割れ、床に赤いワインが広がる。

「あっ、大丈夫ですか？　すぐにお店の人に来てもらって……」

「相馬さん」

あわてて立ち上がりかけた若菜の動きを、僕が発した低い声が制する。

「……はい、なんでしょう」

数秒の沈黙ののち、若菜は落ちついた声で答えると、腰を椅子《いす》に落ち着けた。どこか覚悟を決めたような表情で。

僕は若菜の切れ長の目を見る。若菜は目を逸《そ》らすことなく僕の視線を受け止めた。

僕は少し震える唇をゆっくりと開いた。

「相馬さん……。君が関原桜子の恋人だったんだね」

若菜はどこまでも哀しげに微笑んだ。

＊

「私が……桜子の恋人だったっておっしゃるんですか？」

若菜は大きく息を吐くと、静かに言った。その口調からは怒りや戸惑いは感じられず、わずかながら安堵《あんど》するような響きすらあった。

「関原桜子には恋人がいたけど、それが誰なのかずっと隠していた。彼女はその恋人とはいまは結婚できないと言っていた。彼女が頻繁に連絡をとっていた人物の中に恋人らしき男はいなかった。周囲の人間や警察は、そのことから関原桜子の恋人は既婚男性だと考えた。けれど、よくよく考えれば恋人が同性だったとも考えられるんだ。昔に比べれば改善されてきているとはいえ、同性愛にはまだまだ偏見がある。だから関原桜子は君との関係を他人には話さなかった。そして将来的にはわからないけれど、日本ではいまのところまだ、同性同士は法律上、結婚することはできない」

僕は水を向けるように若菜に視線を向ける。しかし若菜はなにも答えなかった。

「いま思えば最初からおかしかったんだよ」

口を閉じている若菜を見つめながら、僕は喋《しゃべ》り続ける。

「君は『瞬間移動の謎《なぞ》』を解いてほしいと、僕を通して鷹央先生に依頼してきた。鷹央先生なら、もしかしたらあの摩訶不思議な事件を解けるかもしれないからって。けれど、あの時点では君は友人である藤本さんから『警察が瞬間移動とかなんとか、わけの分からないことを言っていた』という程度の情報を得ていただけで、実際にどんなことが起きていたか分からないはずだ。それなのに君は、普通では考えられないようなおかしなことが起きたと訴えて、鷹央先生に頼った」

僕の言葉にほとんど反応することなく、若菜はこちらを見つめ続けていた。

「理由は簡単だよ。関原桜子の身にどんな不思議なことが起きたか、君は詳しく知っていたんだ。君が事件の当事者だったから。あの夜、自宅マンションで君とトラブルになった関原桜子は頭を打って動かなくなり、君はパニックになってその場から逃げ出した。そして翌日、なぜか関原桜子はマンションから十キロも離れた港で、遺体で発見された。そのことを知った君は、自分が部屋を出たあとになにが起きたかわからず混乱した。そして事件から一ヶ月経《た》ち、君はあの夜に起きたことの真相を知るために鷹央先生を頼ったんだ」

「それだけですか？　私があの夜、桜子のマンションにいたっていう根拠は」

若菜は少し挑発的な視線を向けてくる。僕は首を左右に振った。

「いや、違うよ。藤本さんの部屋に行ったとき、君はトイレを借りたよね。あの部屋の廊下にはトイレの他に風呂《ふろ》場《ば》と寝室、三つのドアがあった。君はあのマンションに行くのは初めてだと言っていたのに、迷うことなくトイレの扉を開いた。つまりあのマンションの構造を知っていたということだ。それは、完全に同じ構造をしている関原桜子の部屋にいったことがあったからなんだろ」

「それだけじゃあ、私があの夜、桜子の部屋にいたって断言はできないんじゃないですか？　実は私と藤本君が隠れて付き合っていた可能性もありますよ」

「ああ、そうだね……」

少し楽しげに言う若菜の言葉に、僕は素直にうなずいた。そのとき、部屋の入り口にかかったカーテンの向こうから、ウェイターが部屋に入ってくる。

「あっ、お客様大丈夫ですか？」

床で割れているワイングラスに気付いたウェイターが声をあげる。

「すみません。不注意で割ってしまって」

僕が謝罪すると、ウェイターは一部の隙《すき》もない営業スマイルを浮かべ、「いえ、気になさらないでください」と部屋を出ると、素早く掃除道具を持ってきて、割れたグラスとこぼれたワインを掃除していった。

掃除が終わるとウェイターはテーブルの上にあった肉料理の皿をさげ、代わりにデザートを持ってくる。

「アルプスの岩塩を使った塩のアイスクリームとクッキーでございます」

優雅な手つきでデザートの皿をテーブルに置いたウェイターは、一礼すると部屋を出て行く。その間、僕と若菜は視線を合わせたまま、一言も発さなかった。

若菜はふぅと小さく息を吐くと、スプーンを手にとり、アイスを一口ふくむ。

「あら、本当にしょっぱいですね。先生、食べないんですか？　溶けちゃいますよ」

どこか空虚な明るい口調で若菜が沈黙を破った。しかし、僕は返事ができなかった。

この事件の根本的な原因になったであろう事柄、あまりにも残酷なその事実を指摘するべきかどうか、僕にはまだ決断がついていなかった。

「小鳥遊先生……」スプーンを手にしたまま若菜は言う。「仮に私が桜子の恋人だったとしたら、桜子が言っていた『ストーカーの男』っていうのはどうなるんですか？　桜子は『男に騙《だま》された』って言っていたんですよ。それにたしか、桜子の爪の間から、男性のＤＮＡが出てきているんですよね。それはどうなるんですか？」

　喋っているうちに桜子は早口になっていく。舌が意識についていかないのか、最後の方は上手《うま》く呂律《ろれつ》が回っていなかった。

　その姿を見て僕は気付く。若菜はすべてが明らかになることを望んでいると。僕の口からすべてが明らかになることを……。僕はテーブルの下で力いっぱい拳を握り込む。

「……両方君だよ。『ストーカーの男』は君で、関原桜子の爪から出て来たＤＮＡは君のものだ」

　僕が食いしばった歯の隙間からしぼり出すように言葉を紡《つむ》ぐと、若菜は突然、両手をテーブルに叩《たた》きつけて立ち上がった。

「私が男だって言うんですか⁉　私は中高と女子校に通っていたんですよ。それにちゃんと戸籍だって女性です！」

　呼吸を荒くしながら僕を睨《にら》む若菜の前で、僕はからからに乾いた口の中を舐《な》める。その残酷な事実を指摘するために。

「相馬さん、……君はアンドロゲン不応症だ」

若菜の顔に、泣いているような、それでいて笑っているような表情が浮かんだ。

アンドロゲン不応症。ホルモン受容体の異常により、男性ホルモンであるアンドロゲンに細胞が反応できないことが原因で生じる疾患。アンドロゲンに完全に反応しない完全型と、一部には反応する不完全型に分けられている。

完全型のアンドロゲン不応症の場合、普通なら男性として生まれるXY型の性染色体を持っているにもかかわらず、胎児の時点で男性ホルモンに対して細胞が反応しないため外性器は女性型へと分化し、出生後はほとんどの場合、女児として育てられる。

しかし、性染色体が男性型なので卵巣《らんそう》や子宮は存在せず、代わりに体内に精巣が存在する。そのため生理がくることはなく、二次性徴を迎えたのに初潮が来ないことを期に医療機関を受診し、アンドロゲン不応症であると診断されることが多い。

僕は頭でアンドロゲン不応症についての知識を反芻《はんすう》しながら、若菜の言葉を待った。もし若菜が否定したら、僕は自らの仮説をこの場では証明することはできない。あくまでこの場では……。

警察は関原桜子の爪から、犯人のものと思われるDNAを採取している。若菜がアンドロゲン不応症であるという仮説を伝えれば、警察は間違いなく若菜のDNAを採取して調べようとするだろう。そしてそれらが同一のものであると分かれば、警察は関原桜子を襲った犯人として若菜を逮捕する。

そうなって欲しくなかった。この一連の事件で若菜がどれだけ苦しみ、傷ついてきたのか、容易に想像できたから。

部屋の空気が張り詰めてくる。息苦しさを感じて、僕は無意識に喉元に手をやっていた。普段なら気にならない腕時計の秒針が刻《とき》をきざむ音が、やけに大きく鼓膜を揺らす。

「……中学三年生」

ほんのかすかに開いた若菜の唇から、震える声が漏れ出した。

「中学三年生の時でした、母があまりに初潮が遅い私を病院に連れて行ったのは……」

こわばった表情で言葉を紡いでいく若菜を、僕は無言のまま見つめ続けた。

「エコー検査で子宮が見つからないということで色々と精密検査を受けました。最終的には遺伝子検査まで……。そして主治医は怯《おび》えながら検査結果を聞きに行った母と私に、やけに暗い声で告げました。私が……アンドロゲン不応症だって」

若菜は喉の奥から懸命にしぼり出すように自らの疾患を口にした。その姿は痛々しく、僕は目を逸らしそうになるのを必死に耐える。

「私の性染色体の遺伝子型がＸＹ、つまり男性型であること。体内には子宮も卵巣もないので、将来的に妊娠することは不可能であること。体内に精巣があり、放置しておくと癌《がん》化するリスクがあるので、時機を見て摘出する必要があること。そんな主治医の説明を呆然《ぼうぜん》と聞きながらも、私はどこか納得していたんです」

「納得？」

僕は反射的に聞き返す。若菜はよく見なければ気付かないほど小さくうなずいた。

「アンドロゲン不応症って診断されたあと、私は色々と精神面のケアを受けました。カウンセラーや両親は、遺伝子がどうであろうとあなたは女性なんだということを、何度も優しくくり返してくれて、私を色々とサポートしてくれました。それはすごくありがたかったです。けれど、私はその言葉を素直には受け取ることができませんでした。そのときにはもう、気づいていたから。……自分が好きになるのは女性だって」

若菜は片手で目元を覆うと、早口で話し出す。

「初恋の相手は小学生のときの親友の女の子でした。それ以降も好きになる相手はずっと女性だったんです。クラスメートの女子が『どの男の子が格好いい』とか『どの男の子と付き合いたい』とかいう話をしているのがまったく理解できませんでした。なんで自分が他の人と違うのか、ずっと不思議に思っていたんです。……アンドロゲン不応症という診断を受けるまで」

目元から手をはなした若菜は、触れれば壊れる硝子《ガラス》細工のようなはかなげな表情を浮かべた。僕は何か声をかけなければと口を開く。しかし、かけるべき言葉が見つからなかった。若菜は話を続ける。

「診断を受けて私は納得しました。遺伝子型が……本質が男だから、私は女性を好きになるんだって。だからカウンセラーや両親がいくら私が女だって言っても、私には響きませんでした。それは私の恋愛対象が女性だということを知らないから言えることだって。私は女の外見のまま、自分の本質は男なんだと知りながら生きてきました。凄《すご》くつらかったです。自分が異質な存在だと感じて、この世界のどこにも自分の居場所なんてないような気がして……。けれど、彼女に出会って私の人生は大きく変わったんです」

「関原桜子さんだね？」

僕が訊ねると、若菜は弱々しくうなずいた。

「ええ、そうです。看護学校のクラスメートだった桜子は綺麗《きれい》で、エネルギッシュで、そして自信に満ちあふれていました。そんな桜子に私は惹《ひ》かれていきました。けれど、もちろん自分の気持ちを伝えるつもりはありませんでした。私は誰かを愛する資格なんてないんだって、ずっと思っていました。だから、自分の想いを押し殺して、桜子とは友人として接してきました」

「けれど、君と関原桜子さんは恋人になった」

「二年生になったある日、授業が終わって二人でファミリーレストランで食事をしていたら、急に桜子が言ってきたんです。『ねえ、私たち付き合わない？』って。桜子はずっと前から私の気持ちに気づいてくれていたんです」若菜は弱々しくはにかんだ。

「つまり、関原桜子さんは……」

「はい、桜子は同性愛者でした。恋愛対象は女性だけで、男性に対して生理的に強い拒否反応というか……、おそらく恐怖心に近いものを抱いていました」

「周りの人は、君たちの交際を知らなかったんだね？」

僕は質問を重ねる。もし関係がオープンなものであったなら、警察は関原桜子の周囲からその情報を聞き出し、若菜に容疑をかけていたはずだ。

「絶対に気付かれないように細心の注意を払っていました。きっと、私たちの関係を知ったら白い目を向けてくる人がいるから……。周りは私たちのことを『親友』だと思っていたはずです」

若菜の口調が硬くなる。以前よりは改善されてきているとはいえ、性的マイノリティに対する偏見はいまも根強く残っている。きっと若菜たちは世間から拒絶される恐怖と必死に戦いながら、愛を紡いでいったのだろう。

「桜子との毎日は本当に幸せでした。はじめて私は自分の気持ちをさらけ出すことができたんです。そして、桜子も私のことを情熱的に愛してくれました」

若菜は遠い目で天井辺りに視線を向ける。そこに思い出を見るかのように。しかし、若菜は唐突に痛みを耐えるかのように顔を歪《ゆが》めた。

「ずっと二人で生きていけると、ずっと幸せが続くと思っていました。去年、桜子は私に……プロポーズしてくれたんです。もちろん戸籍上私は女なので、日本では正式に結婚することはできません。けれど、私はとっても嬉しかった。ただ、プロポーズの返事をする前に、私は桜子に伝えないといけないと思いました。……私の体のことを。これから一生一緒に暮らしていくんだから、隠し事をするべきじゃないと思ったんです。だから私は、……桜子に全《すべ》てを話しました。桜子なら、私をはじめて愛してくれた人なら受けいれてくれると思って……」

若菜はこわばった表情のまま、胸のあたりを押さえる。そのときに何があったのか、予想はついていた。しかし、僕は言葉を挟むことなく若菜の告白に耳を傾け続ける。

「桜子は……とてもショックを受けました。男性に対して強烈な嫌悪感《けんおかん》を持っていた桜子は、私のDNAが……私の本質が男性であることに耐えられませんでした。『あなたは私を騙して穢《けが》した！』、桜子はそう罵《ののし》り、二度と会いたくないと叫びました。けれど、私は諦《あきら》めきれなかった……。私には桜子しかいなかったから」

若菜は両手で顔を覆う。

「どんなに電話をしても桜子は出てくれませんでした。メールをしようとも思いましたが、返事をくれるとは思えなかったし、二人の関係がバレないように人の目につく可能性のあるメールでの連絡はしないという約束だったのでやめました。だから私はあの日、桜子が帰ってくるのをマンションで待つことにしたんです。合い鍵《かぎ》は持っていましたから。その後は……、ご存じですよね」

若菜の顔に自虐《じぎゃく》的な笑みが浮かんだ。

「準夜勤で深夜に帰ってきた桜子は、部屋にいる私を見て大声で叫び出しました。私はどうにか桜子を落ちつかせようと思いました。けれど、桜子は部屋に置いてあった物を私に向かって投げてきました。それをやめさせようと私が手を摑《つか》むと、桜子はパニックになって激しく暴れ出しました。桜子はそこまで私を忌《い》み嫌っていたんです。そして私たちはもつれて……」桜子はそこで言葉を詰まらせる。

もつれて転倒した際に関原桜子はＤＶＤレコーダーに頭を打ち、昏睡《こんすい》状態になったのだろう。

「……動かなくなった桜子を見て、私は怖くなりました。それに、桜子にそこまで強く拒絶されたショックもあって、わけが分からなくなったんです。応急処置をすることもなく自分の部屋に逃げ帰ってずっと震えていました。そして翌日、私は桜子の遺体がマンションから十キロ以上も離れた港で見つかったことを知って、さらに混乱しました。いくら考えても桜子の身に何が起こったのか分からなかった。私が桜子を殺したのかどうかも……。だから、天久先生に調査をお願いしたんです」

話し疲れたのか、若菜は小さく息を吐くと、僕を見つめて笑みを浮かべる。どこまでも人工的な笑みを。

「天久先生と小鳥遊先生のおかげで、あの夜になにが起きたのか知ることができて、本当によかったです。これですっきりしました。明日の朝、私は自首します。私が桜子を殺したって。この数日間で身辺の整理は終えてあるんです。今週いっぱいで仕事を辞めさせていただくと、看護師長にも伝えてあります」

なかば予想していたので、そのことに驚きはなかった。僕はゆっくり口を開く。

「……君は関原桜子さんを殺したわけじゃない。ただ、不幸な偶然が重なっただけだよ」

その言葉がなんの慰めにもならないことを知りながらも、僕はそう伝えずにはいられなかった。しかし、若菜は弱々しく顔を左右に振る。

「いえ、私が桜子を殺したんです。桜子が頭を打ったとき、私は何もせずその場から逃げました。もし私がちゃんと応急処置をしていたら……、私があの夜部屋に行かなければ……、私なんかが人並みの幸せをもとめようとなんてしなければ……」

若菜の声が途切れ途切れになり、小さな嗚咽《おえつ》が部屋に満ちる。そんな若菜にかけるべき言葉をやはり僕は見つけることができなかった。

嗚咽の声が次第に小さくなる。目元を拭《ぬぐ》った桜子は席から立ち上がった。

「このお店、実は桜子が私にプロポーズしてくれた場所なんです。……最後にここで食事ができてよかった。小鳥遊先生、色々とご迷惑をおかけしました」

深々と頭を下げると、若菜はゆっくりと部屋を出て行こうとする。僕の口から「あっ……」という声がこぼれる。

このまま若菜を行かせて良いのだろうか？　たしかにこれで事件の全てが明らかになった。警察は若菜を逮捕してこの事件の捜査を終えるだろう。

しかし、それで事件は解決したことになるのだろうか？

『お前以外にこの事件を解決できる奴なんていないんだ』

鷹央の言葉を思い出す。鷹央は間違いなく、若菜が『関原桜子の恋人』であると気付いていたはずだ。にもかかわず、鷹央は僕にこの事件を解決しろと言った。自分ではこの事件を解決できないからと。つまり、事件の全容を暴《あば》くことが『解決』ではないのだ。

鷹央にはできず、僕にはできる『解決』、それは……。

慌《あわ》てて立ち上がると、僕は部屋を出かけている若菜の細い手首を摑んだ。

「君は間違っている！」

僕は上ずった声をあげる。振り返った若菜は「え？」と目をしばたたかせた。

「君は自分の本質は男性だって言った。けれど、完全型アンドロゲン不応症の患者は普通、自分の性を女性だと認識する。それは診断がついたあとも変わらない」

「……ええ、そうですね」若菜は愛想笑いのような表情を浮かべる。「主治医やカウンセラーに何度もそう言われました。だから、君は間違いなく女性なんだ。一人の女性として自信を持って生きていっていいんだって。たしかに、一般的な完全型アンドロゲン不応症患者はそうなんでしょう。けれど私は違うんです。だって……私が好きになるのは、女の人ばかりだったんだから。やっぱり私の本質は男なんです。いくら私が女のつもりでも、……女でいたくても、ＤＮＡはどうしようもないんですよ」

若菜の声は柔らかかったが、そこには諦めと拒絶の響きがあった。約十年もの間、アイデンティティの揺らぎに苦しめられ、硬く凍ってしまった若菜の心。どうすればそれを解き放つことができるのか、僕は必死に頭を働かせる。

『ＤＮＡは人間の本質を示すものじゃない』

また、鷹央のセリフが耳に蘇る。僕は目を見開いて声を張り上げた。

「ＤＮＡなんてなんにも関係ない！　君はれっきとした女性だ！」

「な、何を言っているんですか？　だって……」

僕の剣幕に圧倒されたのか、若菜の顔に戸惑いが走る。

「君はもともと自分を女性だと認識していて、そしていまも女性でありたいと思っている。そうだろ？」

「でも……私は……」

「僕が聞いているのは君の意思だ。君は女性でいたいんだろ？」

僕は若菜の手首を摑んだまま顔を近づける。若菜の表情がぐにゃりと歪む。

「そうですよ！　当たり前じゃないですか！　私は自分が男だなんて感じたことは一度もありません。ずっと自分は女だと思っていました。ずっとそう信じたかった！」

「それなら君は女性だよ。一人の立派なレディだ。DNAなんて関係ない。人間の本質はきっと意思と行動でつくられるものなんだよ」

僕は若菜の手首を放すと、諭すような口調で言う。自分でもくさいセリフだとは思ったが、それが僕の本心だった。

若菜は表情をこわばらせたまま、ゆっくりと口を開く。しかし、その口からはしゃくり上げるような音が漏れるだけだった。

「あの、お客様……。どうかなさいましたか？」

僕たちの声を聞きつけたのか、ウェイターがカーテンを開けて中に入ってくる。

「あっ、なんでもありません」

僕が慌てて取り繕ろうと、若菜は顔を伏せ、無言のまま席に戻った。それを見て、僕も席につく。ウェイターはなにか言いたげな表情のまま部屋から出て行った。おそらく痴話げんかでもしていると思ったのだろう。

ウェイターの足音が遠ざかって行き、部屋に沈黙が降りる。僕はうつむいている若菜の言葉を待った。自分の言葉が少しでも若菜の心に響いたのか知りたかった。

「なんで……」視線を落としたまま若菜が震える声でつぶやく。「なんで私が女だなんて、小鳥遊先生が言えるんですか？　なんで他人がそんなこと断言できるんですか？」

ゆっくりと顔を上げた若菜は、僕の顔を見る。責めるようなセリフとは対照的に、その眼差《まなざ》しは迷子の子供のように弱々しかった。僕は細く息を吐いて覚悟を決めると、ゆっくりと口を開いた。

「それは、……僕が惹かれているからだよ。女性としての君に」

一瞬、若菜は不思議そうな表情を浮かべたあと、目を大きく見開いた。

「えっ、惹かれ……？　私に⁉」

「ああ、そうだよ」

本人を目の前にかなり気恥ずかしかったが、それでも僕ははっきりと言う。若菜の顔に喜怒哀楽どれともつかない感情が渦巻く。

「で、でも、私は女の人を……」

「君は男だから女性を好きになったんじゃない。女として女性を愛しただけなんだよ。君の恋人だった関原桜子さんと同じようにね」

若菜は両手で口を押さえ、大きく息を呑《の》んだ。『関原桜子と同じ』、その言葉が若菜の心を大きく揺り動かしたのだろう。僕はさらに言葉を重ねる。

「関原桜子さんは間違っていた。彼女は君を女性として受けいれるべきだったんだ。けれど男性に対して強い嫌悪感を持っていた彼女は混乱して、君の本質を見ることができなくなったんだ」

僕はそこで言葉を切って息を吸うと、もっとも伝えたかった言葉を、伝えなくてはならない言葉を口にする。

「若菜さん、君はとても魅力的な女性だよ」

僕を見つめる若菜の目から涙があふれ出した。

若菜は顔を伏せ、肩を大きく震わせはじめる。部屋が若菜の嗚咽に満たされる。さっきのような押し殺した嗚咽ではなく、胸の奥にたまった感情を吐き出すような嗚咽に……。

アンドロゲン不応症と診断されてからの十年ほどの間、胸の奥でヘドロのように溜《た》まっていた黒い感情。きっと若菜はそれを涙に溶かして流しているのだろう。

止《と》め処《ど》なく涙を流す若菜を、僕は微笑《ほほえ》みながら眺める。

ただ事件を解決するのではなく、自らのDNAによって心を縛られた若菜を解放する。これこそが鷹央の言う『解決』だった。そして、たしかにこれは僕にしかできなかったのかもしれない。女性としての若菜に惹かれていた僕にしか……。

おそらく、鷹央に教えられるのではなく、僕自身が事件の裏にあった若菜の苦悩に気づいたからこそ、僕は素直な感情を若菜にぶつけ、その心を揺り動かすことができたのだろう。

どれだけ時間が経ったのか。若菜の嗚咽が次第に小さくなっていった。

若菜は無言のままスプーンをとると、溶けかけたアイスをスプーンで口に運ぶ。

「やっぱり、しょっぱいですね、このアイス」

ゆっくりと顔を上げた若菜は、涙で濡《ぬ》れた目元を拭う。化粧が乱れていたが、その笑顔は憑《つ》きものが落ちたかのように晴れやかで、このうえなく美しかった。

「小鳥遊先生……ありがとうございます」若菜は鼻をすすりながら言う。

「たいしたことはしていないよ」

謙遜《けんそん》ではなく、僕は心の底からそう思っていた。僕はただ、若菜が自らのアイデンティティーを取り戻すきっかけをつくっただけだ。

「そんなことありません。私はさっきまで迷っていたんです。明日自首をするのか、それとも……全部を終わりにするのか」

若菜はゆっくりと顔を左右に振りながら言う。「全部を終わりにする」その言葉に、僕は口元に力を込める。

「けれど、小鳥遊先生のおかげで決心できました。私は警察に行って、桜子にしたことの罰を受けます。そして、もし赦《ゆる》されるなら、罪を償ったあと新しい人生をはじめたいと思っています。……私の本当の人生を」

「ああ、それがいいよ」

微笑んだままもう一度目元を拭った若菜は、ゆっくりと席を立ち僕のそばに近づいてくる。次の瞬間、若菜は少し腰を曲げて、僕の頬に唇を当てた。

「私も小鳥遊先生みたいな恋人を見つければよかった」

不意打ちに固まっている僕に向かって、若菜は悪戯《いたずら》っぽく微笑んだ。

我に返った僕は、頬に手で触れながら笑みを浮かべる。

「きっと、若菜さんの全てを受けいれてくれる女性が見つかるよ。素晴らしい恋人が」

「はい、そうですね」

まだ目に涙を湛《たた》えながらも満面の笑みを浮かべた若菜は、後ずさるようにゆっくりと部屋の出口に近づく。僕と若菜の視線が絡《から》んだ。

「さようなら、小鳥遊先生。先生に会えて、本当に良かったです」

「さようなら、若菜さん。……幸せに」

僕の言葉に大きく頷《うなず》くと、若菜はゆっくりと身を翻して部屋から出て行った。僕は若菜が消えた出口を眺め続ける。

「またフラれちゃったな……」

まだ頬に残る柔らかい感触に意識を向けながらため息交じりにつぶやくと、僕はアイスをスプーンですくって口に運ぶ。

若菜が言ったとおり、そのアイスはやけにしょっぱく感じた。

エピローグ

なんでここに来たんだろう？　僕は自問しながら、天医会総合病院の屋上へと続く階段を上っていく。事件が解決したら報告に来いと言われていたから？　それとも、ただ一人でいることに耐えられなかったから？

レストランを出たあと、僕はなぜかタクシーで天医会総合病院へと向かっていた。階段を上りきった所にある鉄製の扉を開いて屋上へと出る。夜風が首元から体温を奪っていく。僕は身を震わせると、正面に見えるファンシーな〝家〟へと向かった。

玄関扉の前までやって来た僕は、ノックしようと持ち上げた手の動きを止める。時刻はまもなく午前零時になる。普段なら鷹央《たかお》は眠っている時間だ。いくらなんでも、（相手が鷹央とはいえ）こんな時間に独り暮らしの女性の家を訪れるのは非常識すぎる。

戻ろうかと思った時、鼓膜が心地良く揺らされた。扉の奥から柔らかい曲が流れてくる。まだ鷹央は起きている？

病的なほどに時間に正確な鷹央は、普段午後十一時に寝て、午前六時に起きるという生活をおくっている。それが乱れるのは『謎《なぞ》』に集中しているときくらいのはずなのに……? 僕はおずおずと扉をノックする。

「入っていいぞ」

扉の奥から聞き慣れた声が響いた。僕はためらいながらもノブを回して玄関扉を開ける。いつものように間接照明が淡く灯《とも》っているだけの薄暗い室内で、若草色の手術着を着た鷹央がグランドピアノを弾いていた。それを見て僕は少し驚く。鷹央がピアノを弾けることは知っていたが、これまで弾いているところを見たことはなかった。

「ちょっと待て。もうすぐこの曲を弾き終わるから」

僕に視線を送りながらも、鷹央の手は動き続ける。優しく、それでいて寂しいメロディーが体に染《し》み入ってきた。僕は目を閉じ、旋律の海に身をゆだねる。

三分ほどして曲が終わる。瞼《まぶた》を上げると、鷹央が僕を見つめていた。

「まだ、寝ていなかったんですね?」

「お前を待っていたんだよ。言っただろ、事件が解決したら報告に来いって」

「そうでしたね」

僕は苦笑を浮かべる。やはり鷹央は全《すべ》て分かっていたのだ。そのうえで、今晩僕が事件を『解決』できると信頼してくれていた。やはりこの人には敵《かな》わない。

椅子《いす》から降りた鷹央は、〝本の樹《き》〟の間を縫いながら僕に近づいてくる。

「それで、『解決』はしたか？」

「はい。すべて『解決』しました」僕ははっきりと言う。

「そうか」

鷹央は細かいことを訊《たず》ねてはこなかった。そのことがありがたかった。

鷹央は手術着のポケットを探ると、そこから一枚のメモ用紙を取り出し、それに視線を落とす。

あのメモは？　首をひねる僕にさらに近づくと、鷹央は背伸びをして顔に向かって手を伸ばしてくる。

「あ、あの……、なんですか？」

「ああ、届かないじゃないか。ちょっとこっち来い」

鷹央はジャケットの裾《すそ》を摑《つか》んで、僕を部屋の奥にあるソファーのそばまで連れて行くと、「座れ」と指示してきた。

「えっ、なんですか？」

「いいから座れ」

僕が「はぁ」とつぶやきながらソファーに腰掛けると、鷹央は僕の頭に手を伸ばし、髪をぐしゃぐしゃと乱してきた。

「なっ、なにをするんですか⁉」

混乱した僕が声をあげると、鷹央は顔を近づけて目を真《ま》っ直《す》ぐに覗《のぞ》き込んでくる。

その視線の圧力に、思わずのけぞってしまう。

数十秒、僕を見つめた（睨《にら》みつけた？）あと、鷹央は再びメモ用紙に視線を落とすと、急に目を閉じて天井に顔を向けた。

「あ、あの、鷹央先生……。さっきからいったい何を？」

「私にもよく分からない。ただ、このあと何かが起こるらしい。そうしたら、お前が元気になるってよ」

鷹央は顎《あご》を思い切り反らして目を閉じたまま答える。

「元気にって、どういうことですか？　わけが分からないんですけど」

「事件を『解決』したら、お前が落ち込むことは分かっていたからな。この前、舞《まい》にどうやればお前を元気づけられるか訊《き》いたんだよ。そうしたら、これをくれた」

天井を向いたまま、鷹央はメモ用紙を渡してくる。僕は視線を落とした。

『①小鳥《ことり》先生の話（グチ？）をよく聞いてあげます。
②小鳥先生の頭を優しく撫《な》でてあげます。
③小鳥先生と数十秒見つめ合います。
④あごを反らして目を閉じます。そのあと起こることには怖がらずに身をまかせて

ください。きっと小鳥先生、色々な意味で元気になりますから』

鴻ノ池《こうのいけ》、あの馬鹿《ばか》。僕は手にしていたメモ用紙を乱暴に破り捨てる。

「ああ、何するんだ。せっかく舞が書いてくれたのに」

鷹央は目を開け、唇を尖《とが》らす。そんな鷹央を見て、どうしてだか笑いがこみ上げてきた。口を押さえようとするが、その衝動を抑えることはできなかった。僕は声をあげて笑い出す。なぜか、重く沈んでいた心が軽くなっていた。

「おお、なんか知らんが、元気になったみたいだな。さすがは舞だ」

勘違いした鷹央のつぶやきを聞きながら、僕は笑い続ける。なぜか視界が滲《にじ》んできた。

数十秒して、ひとしきり笑いの発作が治まった僕は、目元を拭《ぬぐ》いながら鷹央を見る。

「鷹央先生、お酒ってありますか」

「酒か？　まあ、あることはあるぞ。姉ちゃんに見つからないように隠しているけど」

「今夜は飲みたい気分なんだけど、付き合ってもらえませんか？」

鷹央は数秒、きょとんとした表情をしたあと、にやりと笑みを浮かべる。

「おお、お前から飲みたいって言いだすのは珍しいな。もちろんいいぞ」

その外見に似合わず底なしの酒豪である鷹央は、はしゃいだ声をあげる。

「今日、失恋したんですよ。失恋したら、つぶれるまで飲まないと」

僕が自虐《じぎゃく》的につぶやくと、鷹央は急に真顔になる。

「失恋するたびに飲んでいたら、アルコール性肝硬変になるぞ。お前、惚《ほ》れっぽいのにすぐフラれ……」

「ほっといてください！」


翌朝、目を覚ますと目の前に〝本の樹〟が生えていた。どうやら、例のごとく鷹央との飲み会で潰《つぶ》されて、床で寝てしまったようだ。鉛が詰まっているかのように重い頭を振りながら辺りを見回す。僕の体を取り囲むように、大量のボトルや缶が散乱していた。

こんなに飲んだのか……。僕は硬い床で寝ていたせいで節々が痛む体を動かすと、脇《わき》にあったゴミ袋に空いたボトルや缶を入れていく。

今日は土曜日で外来はない。入院患者も外泊に出ているので、回診も必要なかった。ゴミを片付けたら、自宅に帰って寝るか。そんなことを考えていると、小さな寝息が聞こえて来た。見ると、ソファーの上で鷹央が四肢を投げ出すように眠っていた。寝相が悪いせいで毛布は床に落ち、たくし上がった手術着の裾からやけに白い腹が覗いている。

「鷹央先生、風邪引きますよ」

ソファーに近づいて声をかけるが、気持ちよさそうに眠っている鷹央が起きる気配はなかった。無理に起こすのも悪いし、書き置きでものこしておこうか。僕は床に落ちていた毛布をとって鷹央の小さな体にかける。そのときノックの音が響き、玄関扉が開いた。

「おじゃまします……って、ああー！」

甲高い声が部屋に響く。扉の隙間《すきま》から顔を覗かせた鴻ノ池が、僕たちを見て目を大きく見開いていた。

「こ、鴻ノ池……」

「さ、昨晩の首尾がどうなったのか当直あけに確認しに来たら、まさか小鳥先生がお泊まりしているなんて……。あんな簡単な誘惑で落ちちゃったわけ？　うわっ、小鳥先生ちょろすぎ」

鴻ノ池は両手を口元に当てながら言う。

「ちょろすぎって……。あのな、鴻ノ池。お前、なにか勘違いしているぞ」

僕が慌《あわ》てて毛布から手をはなすと、鴻ノ池は「みなまで言うな」とでも言うように、掌《てのひら》を向けてくる。

「いいんです、いいんです。分かってますって。若菜《わかな》ちゃんにフラれた小鳥先生を、私の指示通りに鷹央先生が優しく慰めて、そしてついに……ってことですよね」

「なにも分かってない！」

「いやあ、しかしとうとうお二人が。もうなんというか、『やったー！』って感じです。二重の意味で」

「なにもやってない！　いいから話を聞け！」

「とりあえず、研修医仲間に噂《うわさ》広めてきますね。あっ、お二人はごゆっくりー」

うふふふと含み笑いを漏らしながら、鴻ノ池は扉の外に姿を消す。

「あっ、こら、待て！」

鴻ノ池を追おうとしたとき、ポケットの中でスマートフォンが震えだした。何だよ、こんなときに。スマートフォンを取り出すとメールを受信していた。それを開いた僕は、玄関に向かいかけていた足を止める。それは若菜からのメールだった。

『いまから行ってきます　本当にありがとうございました』

シンプルな文面からも伝わってくる強い意思。きっと、若菜は今日から新しい一歩を踏み出すのだろう。液晶画面を眺めながら顔がほころぶ。

スマートフォンをポケットに戻した僕は、玄関扉を開ける。

春の足音を感じさせる空気が、ふわりと流れ込んできた。

想いよ届け

天久鷹央の日常カルテ

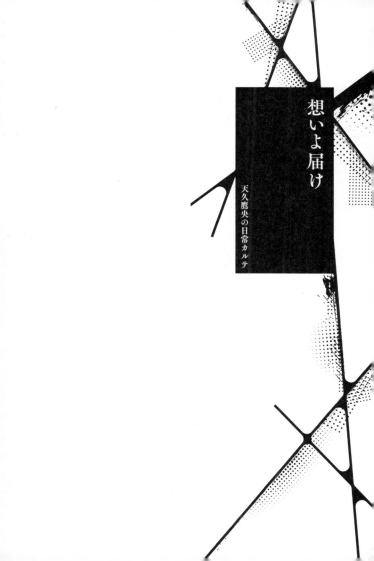

「お前、なにやっているんだ？」

唐突に背後から声をかけられ、僕は万年筆を持ったまま、「うわあ⁉」と声を上げる。こだまのように「うわあ⁉」という悲鳴が返ってきた。振り返ると、目を大きくした鷹央《たかお》が立っていた。

「急に大きな声出すんじゃない！　ビビっただろ！」

「ビビったのはこっちです。気配殺して後ろから急に声をかけないで下さい」

僕は心臓の鼓動が加速する胸を押さえながら反論する。

平日の朝八時四十分過ぎ、僕は九時からはじまる外来の準備のために、十階病棟の隅にある統括診断部の診察室にいた。

午前外来のときは、まず屋上にある鷹央の〝家〟に顔を出し、そのあと朝食にレトルトカレーを食べている鷹央をおいて一足先に診察室に行き、準備をしているのだ。

今日受診予定の患者の情報を一通り確認し、時間に余裕があったのでちょっとした用事をこなしていたのだが、あまりにも集中していたため、鷹央が背後に忍びよってくる気配に気づかなかった。

「いや、お前がやけに真面目な顔で作業しているから、なにしているのかなと思ってな」

鷹央が肩越しに僕の手元を覗《のぞ》き込んでくる。僕は慌ててデスクの上に置いていた便箋を両手で隠した。

「ん？　なにを隠したんだ？」

「いえ、別に……」

僕は愛想笑いを浮かべる。頬のあたりが引きつっているのが自分でも分かった。

「……あやしいな。ちょっと見せてみろ。なんかエロいものか？」

「そんなもの外来で見るわけないでしょ！」

「分からんぞ。男ってやつは年中発情しているって、この前読んだ本に書いて……」

「おかしな本の知識を真に受けないで下さい」

僕が頭痛をおぼえていると、鷹央は診察室の出入り口に視線を送る。

「あ、姉ちゃん」

「え？　真鶴《まづる》さん？」

僕は反射的に鷹央と同じ方向を見る。しかしそこに、真鶴の姿はなかった。次の瞬間、鷹央が普段のナマケモノのような緩慢な動きからは想像できない敏捷《びんしょう》さで、僕の手元から便箋を奪いとる。

「あ、ちょっと……」

僕が抗議をする間もなく、鷹央は便箋に書かれた文章を読みはじめる。

「拝啓　早春の候、いかがお過ごしですか……相馬若菜《そうまわかな》様。なんだ、ラブレターかよ」

書きかけの便箋を鷹央はひらひらと振る。

「ラブレターじゃありません。単なる手紙です」

「しかしな、いくら相馬若菜に横恋慕しても、たぶん叶《かな》わない恋だぞ。そもそも、今後の状況次第だが、また会えるのはかなり先に……」

「だから！　ラブレターじゃ！　ありません！　たんに相馬さんをはげましたかっただけです。相馬さんをいまの状態にしたのは、僕にも責任がありますから」

「いや……、お前はよくやったよ。相馬若菜にとっても、理想の解決だったはずだ」

慈愛に満ちた笑みを浮かべて優しく言ったあと、鷹央は一転して皮肉っぽく唇の端を上げると、便箋を顔の前に掲げた。

「しかし、お前、前から思っていたけど、字が汚いな」

気にしていることを指摘され、僕の口から「うっ」とうめき声が漏れてしまう。

「なんと言うか、字の大きさのバランスが悪いし、ハネやトメがかなりでたらめだ。なんとか少しでも体裁を整えようと、かなり慎重に書いている涙ぐましい努力の跡が見え隠れするところが、いとおかしというか……」

「いとおかしくない！」

　僕は両手で頭を抱える。

「昔から文字が汚いことがコンプレックスなんですよ。気をつけてきれいに書こうとしても、どうしてもバランスが悪い独特な文字になっちゃって……」

「文字には人格が表れるとかいう話もあるからな。お前の性格がねじ曲がっているからじゃね？」

「ちょっとはフォローして下さいよ」

「じゃあ……、性癖がねじ曲がっているとか？」

　小首を傾《かし》げた鷹央に、僕は「全然フォローになってないし、ねじ曲がっていません！」と悲鳴じみた抗議をする。

「大声出すなよ。そんなに字をきれいにしたいなら、ペン字講座でも習えばいいだろ。そうすりゃ、ねじ曲がった心と性癖も治るかもしれないぞ」

　鷹央はスマートフォンを取り出して操作すると、『サルでも上手《うま》くなるペン字講座』という通信教育講座のホームページが表示された画面を、僕の眼前に突きつけた。

「嫌ですよ。そもそも、僕を馬鹿にしていますけど、鷹央先生はそんなに字がきれいなんですか？」

「……当然だ。私の絵の才能を知っているだろ。それに、私はとっても心がまっすぐだからな」

「……なんか答えるまでに間がありましたね。絵の才能はたしかに凄《すご》いのは認めますけど、心がまっすぐではない気がするんですが」

「あ？　なんだって？　お前、そういうこと言うと、ボーナスの査定をだな……」

「ほら、そういうところですよ。そういうところが、心がねじ曲がっていると……」

僕たちがギャーギャーと意味のない言い争いをしていると、出入り口の扉が開いた。

「あ、真鶴さん」

僕が声を上げると、鷹央はシニカルに口角を上げた。

「さっきの意趣返しのつもりか。そんなのに引っかかるわけが……」

「なにに引っかかるの？」

背後から掛けられた声に、鷹央はびくりと体を震わせると、首関節が錆《さ》びついたような動きで振り返る。そこにはモデルのような長身をスーツで包んだ、鷹央の姉であり、この病院の事務長でもある天久《あめく》真鶴が立っていた。

「ね、姉ちゃん……」

「はい、お姉ちゃんですよ」

真鶴はその整った顔ににっこりと笑みを浮かべると、おどけるように言った。

半年以上のこの病院の勤務で、僕は知っていた。真鶴が初《しょ》っ端《ぱな》からこのような満面の笑みを鷹央に向けるときは、胸の内で燃えている妹に対する怒りを、必死に漏らさないようにしているということを。

当然それが分かっている鷹央は、その華奢《きゃしゃ》な体をチワワのようにプルプルと震わせていた。

「な、なにか用でっしゃろか?」

恐怖のあまりおかしな口調になっている鷹央を、近づいてきた真鶴は睥睨《へいげい》する。

「でっしゃろか、じゃありません!」

一瞬で胸の奥に溜《た》まっていたマグマが漏れだした真鶴は、鷹央の目の前に便箋を突きつける。そこにはミミズが断末魔を上げながらのたうち回っているかのような文字が記されていた。

「この病院のために寄付をして下さっている方々への、副院長としてのお礼状だから、しっかり書きなさいって言ったでしょ!　なんなの、この象形《しょうけい》文字みたいなのは。こんなの誰も読めないでしょ!」

「いや、姉ちゃん、これはだな……。せっかくだから個性を出した方が想《おも》いが伝わって喜ばれるかなと思って……」

「個性とかそういうレベルじゃなくて、一文字もまともに読めないじゃない!　そもそも、あなた全部一筆書きしようとしているでしょ。アルファベットならまだしも、どうして日本語でそんなことができるの？」

「いや、合理性を追求して、私なりのオリジナルの筆記方法を作ったんだよ。これを私は、鷹央流スーパー省エネ書道と名付け……」

「勝手に書道の流派を作るんじゃありません！」

一喝された鷹央は「ひっ」と両手で頭を抱えた。その手に持っているスマートフォンを眺めた真鶴は、「あら」と目をしばたたいた。

「鷹央、あなたペン字講座を受講するつもりなの？　いいじゃない。応援するからぜひやりなさいね」

「いや、これはそういうわけじゃ……」

「……ぜひやりなさいね」

誤解を解こうとした鷹央は、真鶴に地獄の底から響くような声で念を押され、「ひゃい」と子犬の悲鳴のような声を上げたのだった。

「なんで私がこんな、小学生の宿題みたいなことをしないといけないんだよ」

ぶつぶつと愚痴をこぼしながら正座をしている鷹央が、ローテーブルに広げてあるペン字講座のドリルをやっている。毎日、真鶴のチェックがあるため、サボることもできないらしい。

　左手に持ったボールペンで手本の文字をなぞっているが、不器用なためか、やはりミミズがのたうち回っているかのように曲がりくねっていた。

「自業自得ってやつじゃないですか？」

「なに私は関係ありませんみたいな顔で、余裕をぶっこいているんだよ。お前だって字が汚いだろ。一緒にドリルをやれよ」

「いえ、この前の鷹央先生の言葉を聞いて気づいたんです。少し崩れた文字も個性なんだって。そっちの方が想いが伝わるんだって」

「私はいまその『個性』を矯正されかけているんだ。こんなの人権侵害だ」

「いや、誰も読めないんじゃ文字としての意味をなさないんで、そりゃ矯正されて当然でしょ……」

　細かい作業が大の苦手である鷹央が髪を搔《か》き乱しているのを尻目に、僕は封筒を白衣のポケットから出す。さっき、病院気付で僕に届いたものを事務員が持ってきてくれていた。

　そう、個性的な文字の方が想いが伝わる……。僕は封筒を裏返すと目を細める。

　そこには特徴的な丸文字で『相馬若菜』と記されてあった。

本作は二〇一六年一月に刊行された
『天久鷹央の推理カルテⅣ 悲恋のシンドローム』（新潮文庫）を
加筆・修正の上、完全版としたものです。
完全版刊行に際し、新たに書き下ろし掌編を収録しました。

実業之日本社文庫　好評既刊

実業之日本社文庫 ち1 104

悲恋《ひれん》のシンドローム　天久鷹央《あめくたかお》の推理《すいり》カルテ　完全版《かんぜんばん》

2024年1月20日　初版第1刷発行

著　者　知念実希人《ちねんみきと》

発行者　岩野裕一
発行所　株式会社実業之日本社
〒107-0062　東京都港区南青山6-6-22 emergence 2
電話 [編集]03(6809)0473 [販売]03(6809)0495
ホームページ https://www.j-n.co.jp/
ＤＴＰ　ラッシュ
印刷所　大日本印刷株式会社
製本所　大日本印刷株式会社

フォーマットデザイン　鈴木正道(Suzuki Design)

ISBN978-4-408-55861-5（第二文芸）